Um Estranho à Mesa do Jantar

Um Estranho à Mesa do Jantar

DAVID GREGORY

Tradução
Omar de Souza

MUNDO CRISTÃO
São Paulo

UM ESTRANHO À MESA DO JANTAR
CATEGORIA: ESPIRITUALIDADE / INSPIRAÇÃO

Publicado originalmente por WaterBrook Press, uma divisão da Random House, Colorado Springs, EUA.

Título original: Dinner with a perfect stranger
Gerente editorial: Silvia Justino
Revisão: Theófilo Vieira
Supervisão de produção: Lilian Melo
Capa: H. Guther Faggion
Crédito da imagem: Infoimages

Dados Internacionais de Catalogação na Publicação (CIP)
(Câmara Brasileira do Livro, SP, Brasil)

Gregory, David

Um estranho à mesa do jantar / David Gregory ; traduzido por Omar de Souza. — São Paulo: Mundo Cristão, 2006.

Título original: Dinner with a perfect stranger.
ISBN 85-7325-418-1

1. Ficção cristã 2. Jesus Cristo — Ficção I. Título.

06-6646 CDD—813

Índice para catálogo sistemático:
1. Ficção: Literatura norte-americana 813

Associação Religiosa Editora Mundo Cristão
Rua Antônio Carlos Tacconi, 79 — CEP 04810-020 — São Paulo — SP — Brasil
Telefone: (11) 2127 4147 — Home page: www.mundocristao.com.br

Editora associada a:
- Associação Brasileira de Editores Cristãos
- Câmara Brasileira do Livro
- Evangelical Christian Publishers Association

A 1ª edição foi publicada em outubro de 2006.

Impresso no Brasil

10 9 8 7 6 5 4 3 2 1 06 07 08 09 10 11 12

A Rick e Denise, que tornaram
este livro possível.

Sumário

Agradecimentos

1 O convite 11
2 A reserva 19
3 O cardápio 27
4 O antepasto 35
5 A salada 49
6 O prato principal 61
7 A sobremesa 73
8 O cafezinho 89
9 A conta 101
10 Em casa 111

Agradecimentos

MEUS AGRADECIMENTOS A Howard Hendricks, Reg Grant, Scott Horrell e Mike Moore por inspirar-me numa aventura além de meus limites, e a Sandi Glahn pela orientação.

Os leitores agradecem (assim espero) àqueles que fizeram comentários sobre o manuscrito para aprimorá-lo. Eu também sou grato. Meu agradecimento especial a Rex Purkerson e a Mallory Dubuclet por suas contribuições singulares, e a Bruce Nygren por ajudar a conduzir este projeto até sua finalização.

Durante os dias terríveis de edição dos manuscritos, todo escritor precisa de uma boa dose de incentivo para dar conta das últimas etapas. Pai, o senhor foi o responsável por esse encorajamento.

Finalmente, a minha esposa, Ava, meu agradecimento por toda a ajuda, dando-me idéias e trabalhando na edição, por sua paciência e por sua motivação contagiante na concepção deste livro. Você não apenas é uma companheira maravilhosa: também é uma editora muito zelosa.

1
O convite

EU DEVERIA TER PENSADO MELHOR antes de responder. Minha agenda pessoal já estava suficientemente lotada sem incluir convites anônimos para jantar com líderes religiosos. Quanto mais com os mortos.

No meio de uma pilha de fichas de cadastro de cartões de crédito e outras correspondências profissionais, aquele envelope chegou ao meu endereço comercial:

O convite chegou datilografado em papel bege, do mesmo tipo do envelope. Não havia endereço de remetente, nem indicação RSVP.[1]

Você está convidado

a jantar

com

Jesus de Nazaré

Restaurante Milano's

Terça-feira, 24 de março, oito da noite

A princípio, pensei que a igreja no fim da rua estivesse realizando mais um de seus cultos evangelísticos. Isso já havia acontecido em várias ocasiões. Os folhetos com mensagens do tipo que costumavam enviar começaram

[1]*Répondez s'il vous plaît* [*Favor confirmar*].

a aparecer em nossa caixa de correio desde o primeiro minuto em que eu e minha esposa, Mattie, nos mudamos para lá, egressos de Chicago, três anos antes. A partir daí, continuamos recebendo uma torrente interminável de papéis que algum obreiro da igreja considerava material promocional. Com o tempo, passei mesmo a esperar a chegada de novos folhetos só pela diversão que os títulos dos sermões proporcionavam:

- os Dez Mandamentos, e não as Dez Sugestões;
- se você acha que Deus está distante, adivinhe quem foi que se mudou?;
- aeróbica espiritual para a maratona rumo ao céu.

Será que eles realmente acreditavam que poderiam atrair alguém com aqueles folhetos? Ou a única coisa que queriam era sofrer com o desdém da vizinhança?

Depois começaram a aparecer os convites para eventos: a liga de boliche da igreja, a macarronada, o retiro de casais no fim de semana, o jogo de golfe — do qual, num momento de insanidade, caí na asneira de participar. A única maneira de descrever a experiência seria a expressão "agonia total". Estacionar o carro atrás de um sujeito com um adesivo no pára-choque escrito "Meu patrão é um carpinteiro judeu" já dava o tom daquele *programão*. Fui escolhido para fazer parte de sua equipe quando o grupo se reuniu para começar o jogo. Ele tinha aquele sorriso permanente, como se alguém o tivesse atingido com um tijolo na cara e o médico que fez a plástica estivesse de má vontade na hora da cirurgia. Quanto aos outros dois componentes de nosso time, um deles começou muito bem, acertando ótimas tacadas na primeira metade da partida, mas depois seu jogo decaiu, e então passou a soltar um palavrão a cada vez que errava uma tacada. Descobri que ele era o líder do diaconato da igreja. O quarto sujeito não dizia uma palavra, a não ser na hora de marcar nossa pontuação. Daria um excelente chefe de comitê de boas-vindas. Aquele foi o último convite de uma igreja que aceitei.

Assim sendo, se era a mesma igreja que planejara o tal convite para o jantar, não havia a menor chance de eu participar daquele *programa de índio*. Só que, quanto mais eu pensava a respeito daquilo, mais me convencia de que outra pessoa havia enviado o envelope. Em primeiro lugar, como a igreja teria conseguido meu endereço comercial? Persistentes, eles até que eram, mas não tão ousados. Além disso, aquele convite não fazia bem o estilo da igreja. Eles estavam mais para a macarronada comunitária do que para um jantar no Milano's, um restaurante italiano de primeira linha. E mais, eles nunca mandavam convites anônimos. Se havia uma coisa que faziam questão de fazer era deixar claro que *a igreja* estava patrocinando o evento que anunciavam.

Tudo aquilo me colocou diante de um dilema: quem me enviaria um convite tão inusitado? Liguei para o restaurante, mas disseram não saber nada a respeito. É claro que os funcionários poderiam ter concordado em fingir ignorar, por isso aquela tentativa não produziu grandes resultados. Cincinnati possuía muitas outras igrejas, mas eu conseguira evitar todo tipo de contato com elas. Nossos amigos, Dave e Paula, freqüentavam a Igreja da Unidade, mas não fariam um convite daqueles só para mim, sem a companhia da Mattie.

Pela lógica, sobrava um grupo de suspeitos: os rapazes no trabalho. Les e Bill, em particular, estavam sempre tramando alguma coisa maluca, como minha despedida de solteiro num necrotério da região e meu chá-de-bebê (felizmente, deixaram Mattie de fora da lista de convidados; nunca vi o nascimento de uma criança ser celebrado de forma tão obscena). Admito, o tal convite parecia um pouco esquisito, mesmo para aqueles caras. E eles pensariam bem antes de enviar um convite para o próprio local de trabalho. Seria óbvio demais. Ou então haviam feito um belo trabalho: envelope e impressão de qualidade, um evento fora do comum, um restaurante legal.

Decidi entrar no mesmo joguinho deles, por isso nunca mencionava o convite. Os rapazes, por sua vez, também souberam manter a farsa durante três semanas inteiras sem deixar escapar nada além de um sorrisinho discreto. Conforme o dia 24 de março se aproximava, minha ansiedade cresceu, e fiquei pensando no que as mentes férteis daqueles sujeitos tinham bolado dessa vez.

Havia apenas um obstáculo entre mim e aquele jantar: Mattie. Três semanas de setenta horas de trabalho cada me colocaram numa situação delicada em relação à minha mulher, que já não gostava muito nem das semanas *normais*, de sessenta horas. Não conseguia pensar em uma maneira de justificar uma farra de uma noite na companhia dos colegas de trabalho, deixando-a sozinha em casa para cuidar de Sara, nossa filha.

Pode ter certeza: se já é difícil tomar conta de uma criança de um ano e oito meses de idade durante o dia, imagine só como é complicado ter de fazer isso à noite também. Isso sem contar com o fato de que Mattie gerenciava uma microempresa domiciliar especializada em projetos gráficos. Se tivéssemos continuado em Chicago, minha mãe ou a dela poderia ajudá-la com Sara. Quer dizer, só a dela. A minha teria soltado gritinhos de alegria diante da oportunidade de cuidar do bebê, mas se Sara ficasse na casa dela com muita freqüência, é provável que passasse a gostar mais... de mim. Felizmente, os quase quinhentos quilômetros entre Cincinnati e Chicago livraram minha filha daquele destino.

Quando Mattie mudou-se comigo para Cincinnati e nos casamos, ela sabia que eu teria de trabalhar além da conta. Ninguém que tenha um emprego como o meu consegue sair todo dia rigorosamente às cinco da tarde. Nem consigo me imaginar acenando para Jim, o meu chefe, diante do escritório dele na hora da saída. "Só lamento, cara, mas tenho de ir embora. A Mattie precisa que eu esteja em casa às cinco e meia para cortar os legumes da sopinha da Sara." Bastaria meia dúzia de *escapadas* minhas às cinco da tarde para que Jim fizesse uma proposta do tipo: "Fique logo de vez em casa, trabalhando de babá em tempo integral". Já consigo até prever como ficaria meu currículo profissional:

Educação

Bacharelado em Química pela Universidade do Norte de Illinois, 1996

MBA pela Universidade do Noroeste, 2001

Histórico profissional

Químico pesquisador, Laboratórios Abbott, 1996 — 2000

Analista de Planejamento Corporativo, Laboratórios Abbott, 2000 — 2002

Diretor de Planejamento Estratégico, Pruitt Análises Ambientais, 2002 — 2005

Babá, 2005 — atualmente

Era preferível manter meu emprego, apesar dos perigos que representava. E, verdade seja dita, entre a pilha de trabalho sobre minha mesa e o descontentamento contínuo de Mattie em casa, a idéia de passar uma noite longe de ambos me agradava. Eu só queria saber se o pessoal do Milano's tinha idéia do que Les e Bill estavam planejando.

No entanto, os problemas do restaurante nem passaram por minha cabeça quando me encaminhei ao estacionamento. Mattie gritava no celular: "Nick, era melhor eu ser mãe solteira do que ter você..." foram as últimas palavras que ouvi antes que a estática me salvasse, no caminho para o restaurante. Era suficiente. Eu ainda não havia bolado uma maneira de explicar a ela os planos que fizera para aquela noite. Considerando experiências anteriores, eu teria de gastar mais de vinte minutos para explicar-lhe sobre o compromisso.

Ouvir R.E.M. em altura máxima e dirigir em velocidade pela Anderson Ferry não bastaram para afogar meu sentimento de culpa, mas ajudaram a mitigá-lo. Parei minha picape Explorer no estacionamento, desliguei o carro e dei mais uma olhada no convite, na esperança de que aquele último esforço me desse uma pista qualquer sobre o que eu deveria esperar daquela noite. De repente, nada que dizia respeito ao jantar parecia valer o desprezo que Mattie me lançaria mais tarde.

Mesmo assim, eu estava lá. E se o evento, no fim das contas, fosse uma *roubada*, ainda poderia *limpar minha barra* com a Mattie, se não demorasse muito a sair. Aparecer em casa mais cedo que o esperado pelo menos uma vez por mês poderia me ajudar a cair nas graças de minha mulher. Aliás, depois das três semanas anteriores, era exatamente disso que eu precisava. E muito.

Com um *plano B* já definido, cruzei o estacionamento, atravessei a porta e dei uma olhada geral sobre as vinte e poucas mesas. Não encontrei ninguém de cabelo comprido e túnica. Nem os rapazes do trabalho.

2
A reserva

— MESA PARA UM, senhor?

Quando o *maître* surgiu, saindo de trás do balcão de vinhos, minha alternativa de fuga rápida *foi para o vinagre*.

— Senhor, mesa para um?

— Não, eu... estou aqui para encontrar uma pessoa. Sou Nick Cominsky...

— Ah! senhor Cominsky! Por favor, me acompanhe.

Ele pegou um cardápio e seguiu à minha frente, guiando-me para além da treliça de madeira que nos separava do salão de jantar. O lugar não havia mudado nada desde que trouxera Mattie para comemorar o Dia dos Namorados, dois anos antes. Um par de toalhas sobrepostas em cruz, uma branca e outra vermelha, cobria cada mesa. Espelhos enormes criavam a sensação de que havia outro ambiente igual ao lado. Pelos janelões nos dois lados do salão descortinava-se o cenário do rio Ohio. Era possível distinguir as luzes da outra margem, no Kentucky, refletidas na água. O movimento do rio proporcionava uma sonoridade muito agradável ao fundo, como aqueles CDS com sons de oceano que as pessoas com insônia compram nas lojas. Infelizmente, uma canção daquelas bem piegas de Andrea Bocelli, que Mattie adorava, abafou o barulho do rio.

As terças-feiras eram muito calmas no Milano's. Os clientes ocupavam apenas quatro mesas. Senti o cheirinho de pão recém-saído do forno quando passamos por meia dúzia de pessoas que gargalhavam na mesa da frente. Um casal na casa dos vinte anos, de mãos dadas, trocava olhares melosos no canto direito do fundo do salão, o rapaz tão embevecido que nem percebia a manga da camisa pendendo sobre seu ravióli. No meio do salão, duas mulheres muito gordas davam risadinhas e mergulhavam sem medo numa torta de chocolate gigantesca. No canto oposto, um homem de trinta e poucos anos, vestindo terno azul e sentado sozinho, examinava o cardápio.

O *maître* levou-me até ele. Erguendo-se da cadeira, ele ofereceu a mão e apertou a minha com firmeza.

— Nick Cominsky — ele disse. — Olá, sou Jesus.

Uma infinidade de respostas possíveis me passaram pela cabeça. "Jesus H. Cristo! Finalmente nos encontramos, hein?"; "Ué, não faltam os outros doze para completar a mesa?"; "Engraçado, não sabia que tinham sepultado você de terno..."

O absurdo da cena, porém, me deixou completamente sem ação e sem palavras. O que dizer daquilo tudo? Eu e o homem continuamos apertando as mãos um pouco além do normal até que consegui soltar um "hã, hã". Ele soltou minha mão e tornou a se sentar.

Virei-me para o *maître*. Ele desviou o olhar e retirou o guardanapo que cobria meu prato, convidando-me a sentar. Abriu o guardanapo sobre meu colo, entregou-me um cardápio, pronunciou o tradicional "bom apetite" e deixou-me a sós com aquele...

— Obrigado por aceitar meu convite — disse o homem, começando o diálogo. — Acredito que este horário não é o mais apropriado para você, no meio da semana.

Ficamos olhando um para o outro. Ele voltou a consultar o cardápio. Era um homem de meia-idade, um pouco mais baixo do que eu, na faixa de um metro e oitenta. Sua pele era bronzeada. O cabelo, escuro e ondulado, era curto e bem penteado. Suas sobrancelhas grossas (*Se as minhas fossem assim, Mattie me obrigaria a apará-las*, pensei) pendiam sobre os olhos profundos, de uma cor castanha tão escura que mal dava para distinguir os limites entre a íris e a pupila. O nariz e os lábios finos combinavam com o queixo, levemente recuado, como se soubesse que não tinha como competir com a sobrancelha já mencionada. Com certeza, ele não fazia o tipo *galã-de-capa-de-revista*, mas era evidente que estava em melhor forma do que eu. Seu terno não era nenhum Armani, mas também não parecia de qualidade inferior.

Ele ergueu o olhar e me flagrou examinando-o, mas parecia se sentir bastante à vontade. Depois que meus olhos forneceram algumas pistas sobre o que estava acontecendo, decidi ouvi-lo um pouco.

— Perdoe-me, mas será que eu deveria conhecê-lo?

— Taí uma boa pergunta — disse ele, sorrindo, acho que para si mesmo. — Eu diria que a resposta é "sim".

— Lamento, mas até onde consigo lembrar, nunca marquei nenhum encontro com você.

— Sim, isto é verdade.

Olhei o salão à minha volta, esperando que alguém aparecesse de repente de trás da treliça ou viesse correndo do banheiro masculino. Devia ser uma *pegadinha*. Mas não havia ninguém escondido. Nem atrás da treliça, nem dentro do banheiro. Voltei minha atenção ao sujeito do outro lado da mesa.

— Ajude-me a lembrar. Você é...

— Jesus. Mas minha família costuma me chamar Yeshua.

— Certo. Sua família que é de...

— De Nazaré.

— Ah, sim, claro.

— Bem, foi lá que eu cresci. Mas nasci em outro lugar.

— Com certeza. Você nasceu em...

— Em Belém. Mas ficamos pouco tempo ali. Logo depois, fomos para o Egito.

Aquilo era praticamente tudo o que eu precisava ouvir. O sujeito era maluco. Sem dizer nada, levantei-me, fiz o caminho de volta na direção da treliça, virei à direita e entrei no banheiro. O rapaz do ravióli estava limpando a manga da camisa. Além dele, mais ninguém. Saí dali e, por um instante, pensei em entrar de sopetão no banheiro feminino, mas não estava tão desesperado assim para encontrar Les e Bill e desmascarar a *pegadinha*. Virei-me para a esquerda e dei uma espiada através do vidro circular na porta da cozinha. Nada. Parei, vasculhei todo o restaurante e decidi voltar à mesa. A situação justificava uma abordagem mais direta.

— Veja bem — eu disse, sentando-me na ponta da cadeira —, eu tenho um monte de coisas muito mais importantes para fazer hoje à noite do que participar de um jantar misterioso com... Escute, fale a verdade, quem é você? O que está acontecendo?

Minha pergunta tinha um tom de agressividade involuntário. Afinal, o sujeito não havia feito nada de mais, a não ser me convidar para jantar.

— Sei que isso não é bem o que você esperava, mas acredito que, se me der uma chance, descobrirá como este encontro pode ficar bem interessante.

— Ah! é claro! — repliquei. — Quem seria bobo de considerar desinteressante um jantar com Jesus? Na semana passada, por exemplo, jantei com Napoleão. E, alguns dias antes, com Sócrates. Mas com Jesus, ainda não. Aliás, muito obrigado por vir de tão longe, lá da Terra Santa, só para jantar comigo.

Percebi que o tom da minha voz havia aumentado demais. As duas mulheres estavam olhando em nossa direção. Ele ficou em silêncio.

— Quer saber? — levantei-me novamente. — Preciso ir para casa, minha mulher e minha filha estão esperando. Obrigado pelo convite.

Ofereci minha mão, num gesto de conciliação.

— Mattie foi ao cinema com Jill — ele disse, sem vacilar. — E pediu que Rebecca tomasse conta de Sara.

Tudo bem, tudo bem. Agora, sim, algumas peças estavam se encaixando. Ele conhecia minha esposa. Sabia quem era Jill Conklin, a esposa de meu melhor amigo, Chris. Também conhecia Rebeca, a babá que costumávamos chamar para cuidar de nossa filha. E sabia que Mattie e Jill tinham ido a um cinema. Voltei a me sentar.

— Foi Chris quem falou tudo isso para você, não foi?

Eu não podia imaginar como Chris também estivesse envolvido naquilo tudo. Para um sujeito como ele, era algo muito estranho.

— Não, não foi.

Voltei às minhas suspeitas iniciais.

— Você é amigo de Bill Grier e Les Kassler?

Ele pôs o cardápio de lado e inclinou-se para a frente.

— Vou dizer o que está acontecendo. Se você ficar aqui, prometo que, até o fim do jantar, conto quem bolou tudo isso.

Da última vez que Bill e Les fizeram algo parecido, acabei atirado numa piscina com falsas botas de cimento presas nos pés, em plena Festa das Bruxas. Uma piscina aquecida, graças a Deus. Agora estava jantando com um sujeito que dizia ser Jesus. O garçom interrompeu meus pensamentos, dirigindo-se ao homem do outro lado da mesa.

— O senhor já escolheu o vinho?

— Acho que vou deixar meu amigo decidir — respondeu, virando-se para mim. — Que tal tomar um vinho?

— Quem está pagando?

— Eu pago.

— Então, tudo bem — respondi.

Abri a carta de vinhos e encontrei umas trinta marcas, mas não conhecia nenhuma delas. Fiquei tentado a pedir o mais caro, mas, em vez disso, indiquei um vinho branco de preço razoável.

— Vamos tomar um Kalike.

Entreguei a carta de vinhos para o garçom. Ele olhou novamente para meu anfitrião, que concordou com um movimento sutil.

— Vermentino di Gallura-Kalike, safra 98 — disse o garçom, confirmando meu pedido e saindo em seguida.

Logo depois, o ajudante do garçom chegou com a jarra de água. Encheu meu copo primeiro, e depois o do sujeito, que agradeceu. Ambos pegamos o copo e bebemos um gole. Tenho de admitir, aquele cara era bom. Onde será que eles haviam encontrado um sujeito disposto a bancar Jesus por uma noite? E ele o fazia de um modo tão natural, como se fosse uma pessoa normal. Meus colegas de trabalho haviam se superado dessa vez. Mas por quê? Aonde queriam chegar com tudo aquilo? Les e Bill não eram tão religiosos. Bill ia à missa no Natal e na Páscoa, e mesmo assim porque sua mulher o obrigava. E Les só participou de um culto no Western Hills Country Club.

Olhei novamente para o casal, e o que vi no espelho me chamou a atenção. Será que o restaurante tinha um espelho direcional, daqueles que refletem de um lado, mas do outro são transparentes como vidro comum? Parecia uma idéia meio absurda, mas não mais do que tudo o que estava acontecendo até então.

Nosso garçom apareceu com uma garrafa de vinho, abriu e entregou-me a rolha. Peguei e cheirei.

— O aroma é bom.

Voltei-me novamente para o garçom, e percebi um certo ar de desprezo em seus olhos. Ele despejou um pouco do vinho em minha taça e ofereceu-me para que provasse. Mattie e eu costumávamos beber vinho em casa, mas nunca com tanta classe.

— Está muito bom.

Ele completou minha taça, e depois a taça do outro lado da mesa. Em seguida, deixou a garrafa e saiu, não sem antes ouvir um "obrigado, Eduardo" por parte do sujeito que me acompanhava. *Será que ele chama todos os funcionários daqui pelo primeiro nome? Deve vir aqui toda semana.*

Cheguei a pensar em perguntar, mas já tinha decidido que usaria uma estratégia diferente. Recostei-me na cadeira e virei-me para o tal "Jesus", evitando usar meu sorriso sarcástico de sempre.

— Quer dizer que sua família o chama Yeshua?

— Sim, quase todo mundo. Tiago usava alguns outros nomes.

— Bem, Yesh... quer dizer, posso chamá-lo assim, Yesh?

— Como preferir.

— Então, me diga — peguei minha taça —, você seria capaz de transformar este vinho em água outra vez?

3
O cardápio

— Tudo bem, sem problemas — disse ele, virando-se e sinalizando para o garçom, que se aproximou. — Meu amigo gostaria de um segundo copo de água, em vez desse vinho.

Com um "certamente, senhor", o garçom tirou a taça de minha mão e preparou-se para buscar mais água.

— Muito engraçado — resmunguei, antes de chamar o garçom de novo. — Acho que vou continuar tomando meu vinho.

— Muito bem, senhor — disse o garçom, recolocando a taça sobre a mesa.

— Obrigado, Eduardo — disse meu anfitrião. — Perdoe-me por chamá-lo à toa.

Eduardo saiu. Abri meu cardápio e, durante algum tempo, mergulhei naquele universo de iguarias. A qualidade da conversa daquele jantar era duvidável, mas a comida era coisa muito chique. Os fregueses podiam escolher um antepasto, uma salada, uma entrada e, depois do prato principal, uma sobremesa. Dediquei metade de minha atenção ao pedido que ia fazer. A outra metade estava concentrada na razão de ainda estar ali. O ronco de meu estômago deu a resposta: tinha trabalhado sem parar desde a hora do almoço.

— No que está pensando?

Abaixei o cardápio o suficiente para espiar por cima dele.

— Que estou ficando maluco. Devia ter ido embora quando tive a chance.

— Não, perguntei sobre seu pedido.

Da última vez que estivemos aqui, Mattie pediu uma coisa muito boa. O que era mesmo?

— A vitela — respondi, finalmente, largando o cardápio e evidenciando minha única proeza naquela noite: escolher o prato.

— Eu vou de salmão.

— Hoje é sexta-feira?

— *Touché* — ele disse, com um sorriso discreto nos lábios.

O sujeito colocou o cardápio na mesa, e na mesma hora o garçom apareceu.

— Já deseja fazer seu pedido, senhor? — perguntou-me.

— Sim. Quero cogumelos recheados, uma salada mediterrânea e carne de vitela.

— Perfeitamente — disse o garçom, virando-se para meu acompanhante. — E o senhor?

— Gostaria de começar com a sopa de tomate e alcachofra, salada de tortellini e o filé de salmão, por favor.

No mínimo, é um prato bem melhor do que o pão e o vinho de sempre. Quando o garçom saiu com nossos pedidos anotados, "Jesus" esticou-se na cadeira, tomou um golinho do vinho e fez uma primeira tentativa de iniciar uma conversa de verdade.

— Fale-me sobre sua família.

— Pensei que você já soubesse tudo sobre ela — disse, evitando a pergunta. — Você sabia o que Judas ia fazer, mas parece que não ajudou muito, se me permite dizer.

Ele provavelmente presumiu que eu não sabia nada sobre religião ou a Bíblia, mas passei um bom tempo na escola dominical. É claro que detestava aquilo. Depois que minha mãe expulsou meu pai de casa, costumava levar Ellen, Chelle e eu à igreja. Dizia assim: "Precisamos de uma boa influência, pelo menos uma".

Stacy, na época com dezesseis anos, se recusava a ir. Era o que eu deveria fazer, porém, sendo mais moço, não podia fazer o que queria. Por isso, eu ia. As aulas serviam como trilha sonora para as coisas que eu realmente fazia, como passar bilhetinhos, atirar bolinhas de papel com canudinho nas meninas e roubar dinheiro das ofertas da classe dos juniores. A maioria dos professores era qualquer coisa de indefinível: alguns homens que viviam sorrindo forçados, como se tentassem demonstrar aos outros sua suposta satisfação de estar ali, e mulheres convencidas de que meninos realmente gostavam de histórias bíblicas contadas com a ajuda do flanelógrafo.

Uma senhora chamada Willard era um caso clássico. Tinha uma espécie de mantra: "Ame os outros como a si mesmo". Mas bastava alguém fazer um simples movimento com a sobrancelha para ela pegar o menino pela orelha, levá-lo até o quadro e obrigá-lo a escrever uma centena de vezes: "Devo fazer pelos outros o que gostaria que os outros fizessem por mim". Quem sabe não era aquilo que ela gostaria que os outros fizessem com ela?

Aprendi poucas coisas na igreja, mas guardei na mente algumas histórias bíblicas: o bom samaritano, o mau samaritano, o samaritano "mais ou menos". Lembrava o suficiente para acompanhar a conversa daquele sujeito por um tempinho.

— Por que você não faz o que estou lhe pedindo? — ele disse, ignorando a referência que fiz a Judas. — Diga-me de onde é sua família.

Não estava disposto a deixá-lo escapar de meu controle com tanta facilidade. Afinal de contas, se alguém ali estava declarando ser Jesus, esse alguém era ele. Então, que assumisse o papel.

— Estou muito mais interessado em sua família, Yesh — senti que a malícia transparecia em meu rosto. — Conte-me a respeito de José e Maria.

Ele se entusiasmou.

— Crescer em Nazaré não era a mesma coisa que passar a infância em Chicago. Não costumávamos sair para comer cachorros-quentes imensos, nem tínhamos amendoim torrado à venda.

— Ah! é? — respondi, com sarcasmo.

Não cheguei a dizer, mas pensei: *Engraçado ele comentar sobre Chicago e o amendoim torrado que eu e meu pai comíamos no estádio Wrigley todo sábado.* Ele prosseguiu:

— José era um bom pai. Tinha de trabalhar bastante, mas não era como hoje em dia. Na oficina dele, ao lado da casa, não havia muita correria. José só corria quando percebia que eu estava chegando. Sempre tentava terminar uma tarefa antes que eu começasse a mexer nas coisas.

Ele colocou a mão no queixo, olhou no vazio e começou a rir.

— Na época, eu nem tinha idéia de quantas peças de madeira eu misturava. Quando ele estava fazendo uma mesa ou algo assim, eu queria ajudar. Nem precisa dizer que, aos oito anos de idade, não era bem o que se pode chamar um "carpinteiro profissional". Aí ele tinha de voltar e refazer alguma peça que eu havia arranhado, na tentativa de ajudar. Outras, ele até usava como estavam. Alguns de nossos vizinhos aceitavam de bom grado aqueles utensílios que levavam minha *marca*.

Metade de mim ouvia aquele homem falando; a outra, o analisava. Os meus colegas de trabalho deviam ter contratado um ator profissional para fazer aquele papel. Ele falava como se tivesse crescido de verdade nas ruas de Nazaré. O sujeito era bom mesmo. Estava prestes a perguntar sobre Maria quando o garçom apareceu com pão quentinho e uma pastinha de espinafre. "Jesus" pegou a faca, cortou uma fatia e ofereceu-me.

— Quer pão?

Peguei aquela fatia de pão e experimentei um pouco da pasta antes de continuar com a história da família.

— Então José era uma pessoa comum. E Maria? Não deve ter sido fácil ser criado por uma mãe tão reverenciada.

Ele riu, fosse por achar alguma graça ou por se sentir ofendido — não dava para dizer qual das duas coisas.

— Ela não era nem um pouco reverenciada. Pelo contrário, foi execrada quando eu era criança. Ter um filho antes do casamento não era muito...

— Judaico! — interrompi, tentando entrar no espírito da coisa.

Ele fez uma pausa.

— Não era muito aconselhável.

— Em todas as pinturas, parece que Maria estava sempre vendo anjos, cuidando de você ou tirando-o da cruz. Nos intervalos, ela tinha tempo de fazer alguma coisa?

Acho que passei um pouco da conta com aquela pergunta, mas tinha de fazer alguma coisa para tirar o sujeito daquela *viagem*. Ele agia com muita naturalidade. Mas é claro que não se perturbou com aquilo. Simplesmente pegou mais um pedaço de pão e continuou a falar.

— Minha mãe era incrível. Ela tinha muita fé e senso de humor. Nunca permitiu que, mesmo na minha infância, eu perdesse de vista o dever de fazer a vontade de meu Pai celestial. Se alguém viesse à nossa casa procurando por mim, ela dizia: "Não sei por onde ele anda. Está fazendo a obra de seu Pai". Quanto mais eu crescia, mais ela dizia: "Você acha que a obra de seu Pai incluiria a escolha de uma garota para se casar?"

Um sorriso estampou-se em sua face enquanto ele falava. Fez uma pausa e, em seguida, assumiu um tom mais sério.

— Quando finalmente comecei a pregar, foi difícil para ela ver o próprio filho adorado num dia e demonizado no outro. Foi mais complicado do que ela mesma esperava.

Talvez fosse o caso de ela participar de um desses programas de televisão com aconselhamento ao vivo. Provavelmente um guru de auto-ajuda poderia "dar uma força". Eu estava achando aquele papo um tanto cansativo.

— Escute, você ainda não me falou nada além do que uma pessoa com uma Bíblia na mão e um pouco de imaginação poderia dizer. Acho que está na hora de me mostrar alguma coisa melhor do que essas historinhas sem graça de José e Maria.

— Para quê? — ele perguntou.

Aquela era uma boa pergunta. O que exatamente eu deveria esperar de um sujeito fingindo ser Jesus? Acho que alguma coisa um pouco mais interessante. Certa vez, o apresentador de televisão Larry King afirmou que, de todas as personalidades da história, a que ele mais gostaria de entrevistar seria Jesus. Conversar com Jesus Cristo — ou mesmo com um impostor — deveria ser uma experiência mais empolgante do que nosso papo até então. Com certeza, aquele homem tinha algo em mente além de requentar antigas histórias bíblicas. A voz dele tirou-me do transe e trouxe-me de volta à conversa.

— Não acho que haja muita coisa a dizer que possa convencê-lo de que sou mesmo Jesus.

— Bem, isso é verdade.

— Vou fazer uma sugestão. Por que você não abre mão de sua falta de fé por apenas um tempinho e age como se eu fosse Jesus? É claro que, se Jesus estivesse mesmo aqui, você teria várias coisas para perguntar a ele, não é?

Até que não era má idéia. Não estávamos chegando a lugar algum com minhas tentativas de descobrir sua verdadeira identidade. E aquela proposta tinha potencial para se tornar algo interessante. Aceitando que o cara soubesse do que estava falando, aquela poderia se tornar a melhor discussão filosófica da qual eu participava desde os tempos da faculdade. De fato, costumávamos conversar sobre Kant e Kierkegaard, e até mesmo sobre Feynman naquela época. O mais próximo que havia chegado de uma discussão desse tipo foi nos textos daqueles livros ridículos de aconselhamento para pais que Mattie me forçava a ler.

— Tudo bem, gostei — respondi. — Já tenho uma boa pergunta para você. Um dia desses, passei por uma igreja no fim da rua, e havia uma placa dizendo: "Ninguém vem ao Pai senão por mim". Jesus. Se você disse mesmo esta frase, acho que foi muito pretensioso.

4
O antepasto

— SUA SOPA DE TOMATE E ALCACHOFRA, senhor.

Eu me encolhi. A intrusão do garçom arruinou a coisa toda. Tinha acabado de fazer minha primeira investida no sentido de desmascarar toda a fraude quando a interrupção deu ao sujeito a oportunidade de se recompor. O prato dele foi servido primeiro. Em seguida, Eduardo trouxe o meu e colocou-o diante de mim.

— Seus cogumelos recheados.

Olhei para o lado oposto da mesa, onde o tal "Jesus" estava sentado sem esboçar nenhum movimento para pegar os talheres. *Ai, só faltava essa! O que ele quer agora? Que eu ore, agradecendo pelo alimento?*

— Costumo fazer um breve agradecimento antes das refeições. Você se importa?

"Tanto faz" seria minha resposta preferida, mas "não, absolutamente" foi o que saiu da minha boca. Ele ergueu a cabeça na direção do teto e manteve os olhos abertos. Não pude evitar: acompanhei seus olhos, tentando imaginar se eu havia deixado de ver alguma coisa lá no alto. Mas não.

— Pai, obrigado por sempre prover o que necessitamos, pois tu nos amas — disse, para em seguida voltar a olhar para baixo, pegar uma colher e mergulhá-la em sua sopa.

— É só isso? — perguntei.

— Há alguma coisa mais que você gostaria de dizer?

— Não, não. Acho que é suficiente.

Peguei um garfo e fisguei um dos cogumelos. Nós nos mantivemos em silêncio por um bom tempo, comendo o antepasto. Fiquei tentando imaginar uma forma de voltar à minha pergunta quando meu anfitrião resolveu o problema para mim.

— Por que você acha que estou errado ao dizer aquilo? — ele questionou.

— Porque tem um monte de gente ao redor do mundo que acredita em várias coisas diferentes e louvam a Deus de várias maneiras diferentes também. Como é que Jesus pode declarar que ele é o único caminho certo?

— E sua dificuldade de entender isso é...

— É muito grande. Quem pode garantir que Jesus é um caminho melhor do que Maomé, Buda, Confúcio ou qualquer outro? Tudo bem, acho que não tem nenhum sujeito específico do hinduísmo.

Será que ele percebeu que conheço quais religiões têm um fundador e quais não têm?

— Você acha que o hinduísmo é a verdade? — ele perguntou.

— Não sei. Meus amigos Dave e Paula começaram a se envolver com esse negócio de hiduísmo, e parece que funcionava bem para eles.

Ele pegou mais um pedaço de pão e espalhou um pouco da pastinha de espinafre.

— Não perguntei se você acha que funcionava. Perguntei se você acha que o hinduísmo é a verdade.

— Bem, para eles, é.

Ele deu uma mordida no pão. Parecia pensar numa maneira de responder.

— Antes de Copérnico, muita gente acreditava que a Terra era achatada. Era um conceito errado, mas funcionava para o mundo daquela época. Por quê?

— Acho que não fazia muita diferença para eles. Até a época de Colombo, eles nunca haviam viajado tão longe a ponto de isso ser um problema. A não ser, é claro, para os vikings.

— E o que aconteceria se a humanidade ainda acreditasse que a Terra era plana e tentasse viajar até a lua?

— Está querendo dizer que...

— Aquilo que as pessoas acreditavam funcionava para elas até certo ponto, ainda que não fosse verdade. Mas, em determinado momento crucial, passou a não funcionar mais.

— E...

— Você é quem vai me dizer. Não é você que tem mestrado?

— Em Negócios, não em Filosofia.

— Precisa pensar um pouco — disse, pegando novamente sua colher.

Não tinha certeza do ponto a partir do qual a conversa mudou e passei a ficar na defensiva, mas decidi seguir adiante. Além disso, admito que estava começando a achar a conversa um bocado intrigante.

— Está me dizendo que, mesmo quando um sistema de crenças funciona para alguém, se for falso, um dia ele ruirá.

Ele se inclinou para a frente.

— E você passa a deixar de querer aquilo que descobriu não ser a verdade — disse, fazendo uma pausa em seguida e retomando a conversa. — O cientista aqui é você.

— Eu não sou mais.

— Você assistia às aulas sobre Religião Comparada na faculdade. Qual a sua opinião? Como o hinduísmo se encaixa no conhecimento que você tem sobre o universo?

— Ué, como sabia que... — comecei a responder.

O que está acontecendo? Parece que ele fez uma pesquisa profunda a meu respeito, inclusive aquele episódio das aulas. Voltei à pergunta.

— Até onde lembro, o hinduísmo ensina que o universo é simplesmente uma extensão daquela força universal chamada...

— Brahma.

— Sim, Brahma, a essência definitiva.

— Então Deus é o universo, e o universo é Deus.

— Exato. Não existe um Criador separado da Criação.

— E desde quando o universo existe? — ele perguntou, deslizando para trás em sua cadeira.

— Bem, alguns hindus diriam que sempre existiu. Brahma é eterno, por isso o universo é eterno.

— Como ajustar esse conceito com as coisas que os astrônomos descobriram no século passado?

Por alguns momentos, fiquei pensando naquilo.

— É, não dá muito certo — admiti.

Embora adorasse estudar Cosmologia na faculdade (eu teria me especializado em Astronomia, se tivesse dinheiro para isso), nunca havia seguido esta linha de pensamento.

— Todas as evidências indicam que o universo teve, de fato, um início, talvez há uns quinze bilhões de anos.

— E se este número estivesse errado?

— O universo continuaria não podendo ser eterno. A segunda lei da Termodinâmica: num sistema fechado, tudo tende a diminuir de intensidade. Num universo infinitamente antigo, não seria possível ver novas estrelas ou galáxias se formando. Todas teriam mitigado e não restaria mais energia produtiva. Algumas pessoas, como Fred Hoyle, tentaram sustentar a teoria do estado permanente, segundo a qual o universo seria eterno, mas ninguém a aceita mais.

"Jesus" inclinou-se para a frente e entrelaçou os dedos sobre a mesa.

— Então, se o hinduísmo fosse a verdade, como é que o universo passou a existir?

— Não sei.

— Eu também não — disse, sorrindo, antes de morder o pão outras duas vezes e prosseguir. — A descrição que o hiduísmo faz da realidade tem outros problemas.

— Que tipo de problemas?

— A moralidade, por exemplo. Os seres humanos são altamente morais. Todas as sociedades, mesmo as mais primitivas, possuem códigos morais complexos e muito parecidos.

— É, com isso eu concordo.

— Agora, permita que lhe faça uma pergunta: qual seria a fonte definitiva da moralidade no hinduísmo? Foi Brahma que estabeleceu o que é certo ou errado?

Peguei um pedaço do pão que estava em meu prato e parei um segundo para pensar sobre aquilo.

— Não, Brahma é moralmente neutro. Por conta da força universal, nada é definitivamente certo ou errado. Tudo apenas é.

— Então qual é a base da moralidade se a fonte de todas as coisas é moralmente neutra? O que as torna inerentemente boas ou más?

— Nós, eu acho.

— Mas você é uma extensão de Brahma, que é moralmente neutro, certo?

Eu não tinha uma resposta para aquela questão. Ele seguiu adiante.

— O hinduísmo tem ainda um problema parecido no que se refere à personalidade. Uma das coisas que as pessoas mais apreciam sobre si mesmas é sua individualidade. É parte do que significa ser humano. Lembra do que o hinduísmo ensina a respeito desse assunto?

— Sim. Que a personalidade é uma ilusão. É preciso renunciar a ela para entrar em harmonia e unidade com o universo.

— Então, o que as pessoas mais valorizam a seu próprio respeito é apenas uma ilusão. Um dia, você será reabsorvido por Brahma e perderá sua individualidade.

Verdade seja dita, aquela argumentação nunca soara tão convincente.

— Se a personalidade é uma ilusão — ele perguntou —, como explicar a individualidade que todas as pessoas possuem? Como é que uma força universal impessoal foi capaz de criar tantas personalidades diferentes?

— Mas você pode falar a mesma coisa de todas as religiões orientais.

— Sim. E este é exatamente o problema delas. O mundo não é como o descrevem. Essas religiões fornecem uma maneira de entender a vida, mas tal compreensão é falsa — explicou, voltando para trás e limpando a boca com o guardanapo. — O que você lembra a respeito do budismo?

O budismo sempre foi bem mais fácil de entender do que o hinduísmo. Era difícil esquecer as Quatro Verdades Nobres e a Senda das Oito Trilhas. Não seria capaz de lembrar todas, mas ainda recordava a idéia principal.

— O budismo é bem parecido com o hinduísmo em sua cosmovisão básica — eu disse. — A realidade definitiva é um... vazio abstrato chamado nirvana. Você entra no nirvana quando faz a jornada pela Senda das Oito Trilhas e aniquila todos os vínculos e desejos pessoais. Quando consegue eliminá-los, todo sofrimento chega ao fim.

Ele pegou sua taça e a ergueu, fixando o olhar no vinho para, em seguida, me observar através do cristal com uma fisionomia estranhamente distorcida. Depois moveu a taça um pouco para o lado, tirando-a da direção de sua visão.

— Alguém caprichou na fabricação deste cristal. Era uma pessoa que possuía um forte senso de habilidade profissional.

— Provavelmente.

— Até onde as pessoas conseguem ir quando não sentem paixão pelo que fazem?

— Não muito longe — reconheci.

— Você conhece tudo sobre Biologia. Quantas células nervosas sensoriais as pessoas possuem na pele capazes de proporcionar prazer?

— Milhões.

— Isso quer dizer que, de alguma maneira, um universo impessoal assumiu a forma de seres pessoais, com fortes desejos e a habilidade de sentir prazer. Ainda assim, o objetivo da vida deveria ser a negação de todo tipo de desejo.

Ele pôs a taça na mesa.

— Acho que isso não faz muito sentido — comentei, ajudando-o a chegar ao ponto que queria.

— Acredita que seja razoável a hipótese de que o sofrimento na Índia fosse tão grande que Sidharta Gautama, o Buda, tentasse encontrar alguma explicação e desenvolvesse todo um sistema de crenças baseado na idéia de aliviar o sofrimento?

Minha resposta — ou a falta de uma — foi interrompida com a chegada do garçom, que apareceu à minha direita.

— Já terminou com os cogumelos, senhor?

Por alguns momentos, pensei nos dois que ainda restavam no prato.

— Sim, claro.

Ele tirou nossos pratos. Havia chegado na hora certa. Se continuássemos por muito tempo falando sobre as religiões orientais, minha ignorância sobre o assunto logo seria denunciada. Uma coisa era certa: eu não participaria de uma disputa de conhecimento sobre religião com aquele sujeito. Mesmo correndo o risco de entrar numa discussão complicada demais para mim, quis saber o que ele tinha a dizer a respeito de algo mais parecido com o cristianismo.

— E o que você acha do islamismo? — perguntei. — Talvez as religiões panteístas não sejam bons exemplos. Mas os muçulmanos declaram adorar o Deus da Bíblia. Quem garante que a versão deles é a errada, e que só Jesus é quem estava certo?

Ele alcançou a água antes de começar a responder.

— Isso depende de saber se Deus falou mesmo com Maomé, não é verdade? É muito crédito para dar aos escritos de alguém, ainda mais quando essa pessoa, depois de supostamente ouvir a voz de um anjo, não tinha muita certeza se havia escutado Deus falar, era acometida de surtos de pensamentos suicidas, ganhara uma legião de seguidores, em parte, graças às suas conquistas militares, encorajava o assassinato de seus inimigos e casou-se com uma menina de nove anos de idade, entre outras coisas.

— Quem disse isso? Nunca ouvi falar dessas coisas, a não ser a parte sobre as conquistas militares.

— São os textos sagrados muçulmanos. O *Sirat Rasul Allah*. As coleções Hadith narradas por Bukhari, Muslim e Abu Daud. *A história do Al Tabari*, entre outros.

Eu não tinha base alguma sobre a qual pudesse discutir o assunto com ele, por isso voltei à declaração inicial.

— Mas o mesmo pode ser dito sobre o cristianismo: que também gira em torno da incerteza de que Deus tenha falado ou não a alguém.

— Nada disso. A Bíblia tem cerca de quarenta autores que escreveram num período de quinze séculos, e a mensagem de todos é coerente. Isto conspira a favor, e não contra, a idéia de uma origem divina.

— Ainda assim, quem pode dizer que Deus não falou com Maomé?

— Se Deus falou mesmo com ele, então Maomé não entendeu direito o que ouviu.

— Como o que, por exemplo?

— Maomé escreveu que nunca fui crucificado e que os anjos de Deus me resgataram para me levar direto ao céu.

— Você quer dizer "Jesus", não é?

— Foi isso que eu disse.

Recusei-me a discutir sobre aquilo.

— Então é possível que Maomé estivesse certo.

— Não, ele não estava — falou, com um sorriso discreto.

— Ah! é claro que não. Você estava lá, não é?

— Mas você não precisa perguntar isso a mim — continuou, ignorando meu comentário. — Minha crucificação foi historicamente documentada, não apenas pelos primeiros cristãos, mas também por historiadores não cristãos daquela época. Se optar por não levar isso em conta, terá de desprezar também tudo o que sabe a respeito de história antiga.

Na verdade, eu não tinha como discordar. Dava até para debater a respeito da ressurreição, mas a crucificação de Jesus era ponto pacífico. Eu me preparava para fazer outra pergunta quando ele recomeçou.

— O islamismo ensina outras coisas que não correspondem à verdade.

— Que tipo de coisas?

— Que a Bíblia foi alterada ao longo do tempo, de forma que hoje teríamos uma versão extremamente corrompida e que não é digna de crédito.

— E daí?

— Daí que isso não é verdade. Qualquer acadêmico pode dizer isso a você. Os Manuscritos do mar Morto, entre outros documentos, provam a credibilidade da Bíblia hebraica. E há cerca de cinco mil manuscritos antigos que ratificam o Novo Testamento. Os textos estão à disposição. Você é quem decide o que fazer com eles, mas estão aí, à sua disposição.

Ele colocou sua taça de vinho na mesa.

— Mas este não é o problema mais grave do islamismo.

— E qual seria?

Ele olhou o salão à nossa volta por alguns instantes, à procura de algo que não sei ao certo. Depois seu olhar voltou-se em minha direção.

— Qual é o seu desejo mais profundo?

De onde será que veio esta pergunta?

— Não sei se gostaria de falar a respeito disso.

— Então vamos conversar em termos mais gerais. O que as pessoas mais anseiam em seus corações?

— Um aumento de salário? — brinquei, ou melhor, tentei brincar, mas ele não respondeu.

Fiquei pensando por algum tempo, olhando as pessoas que estavam no salão à minha volta. O cara do ravióli e sua acompanhante ainda olhavam embevecidos um para o outro por cima da mesa vazia.

— Acredito que o maior desejo das pessoas é o de serem amadas.

Disse isso olhando novamente para ele, que se inclinou para a frente mais uma vez, agora falando com suavidade.

— Não quero entrar num assunto tão pessoal, Nick, mas, em sua experiência de vida, alguma pessoa já conseguiu satisfazer sua necessidade de ser amado?

Querendo ou não, ele está sendo muito indiscreto. Além disso, pensei que estávamos falando sobre o islamismo. Resisti ao impulso de desviar o olhar de novo, embora tivesse me ajeitado na cadeira. Pensei em meu pai, em Mattie e em Elizabeth, minha namorada da faculdade.

— Não, nenhuma.

— Isso acontece porque nenhuma outra pessoa é capaz de satisfazer este desejo. Apenas Deus pode fazer isso. Foi assim que ele criou as pessoas. Mas os muçulmanos nunca podem ter esta esperança. Não dá para estabelecer um relacionamento pessoal com Alá. Ele é alguém que deve ser louvado e servido à distância, mesmo no paraíso. Isso não atende a mais profunda necessidade do coração humano. Por que Deus criaria uma humanidade com tal anseio para jamais satisfazê-lo?

Continuei olhando para ele por alguns momentos; depois tomei mais um gole de meu vinho.

— Talvez os muçulmanos não tenham todas as respostas. Mas não acho que alguém tenha.

— Não, eles não têm. Eles apenas acham que têm.

Ele não dizia aquilo com sarcasmo ou de maneira arrogante, mas quase com um traço de tristeza. Nada à vontade com o silêncio que se seguiu, olhei na direção do rio, mas tudo o que vi no vidro da janela foi o reflexo de meu rosto e a imagem da nuca daquele homem.

— E se Deus não existir? — falei, olhando de novo para ele. — Pode ser que o mundo material seja a única coisa que existe.

— Então você teria de resolver o problema do *design* inteligente.

— Qual? Aquele conceito de que nada que há no mundo poderia existir por acidente?

Era um argumento muito simples e, verdade seja dita, muito bom também.

— Você deve conhecer Roger Penrose — ele disse.

— Sim, o cara que ajudou a desenvolver a teoria dos buracos negros.

— Você tem idéia do cálculo que ele fez das probabilidades de que um acidente cósmico produzisse um universo ordenado como o nosso, em vez do caos total?

Eu não havia lido sobre esses cálculos de Penrose, mas já havia passado por comentários similares de Hawking, Dyson e outros.

— Uma em um milhão? — chutei.

— Tente algo como uma em cem bilhões elevados à centésima vigésima terceira potência.

— Não são probabilidades muito boas.

— E isso quando nos referimos apenas ao macrouniverso. Ele não inclui a complexidade do *design* da vida biológica.

Ele conseguiu me colocar numa enrascada. Quanto mais eu estudava a Cosmologia, mais evidente se tornava a teoria do *design* inteligente. Pensava que os entusiastas do conceito de aleatoriedade dispunham mais de instrumentos filosóficos do que de argumentos científicos para defender suas idéias. Peguei outro pedaço de pão, espalhei manteiga dessa vez e dei uma mordida.

— Está bem. Concordo que seria necessário haver um ser transcendente, não só uma existência física. E você é muito habilidoso em encontrar defeitos em todas essas outras religiões. Mas me parece que todo tipo de religião, inclusive o cristianismo, oferece um caminho diferente que leva ao mesmo lugar. Quer dizer, todo mundo está à procura de Deus, então...

— E você, está?

Aquela observação pegou-me de surpresa. *Se estou procurando por Deus? Se olhassse para minha vida, você não pensaria assim.* Resolvi ignorar a pergunta.

— Como eu ia dizendo, parece que todo mundo está à procura de Deus, cada um à sua maneira. É isso que eu gosto na igreja que nossos amigos Dave e Paula freqüentam. Ela aceita pessoas de qualquer tipo de fé e tenta ajudá-las a trilhar seu caminho até Deus.

— Há um problema com esta linha de pensamento — ele disse.

— Qual?

— Não existe uma trilha que conduza a Deus.

Aquela era a última coisa que eu esperava ouvir dele.

5
A salada

POSTADO À MINHA DIREITA, o garçom esperava para servir as saladas — há quanto tempo estava ali, não sei dizer. Nossa pausa permitiu a ele que se aproximasse. Talvez não gostasse de interromper conversas muito *sérias* — acho que o adjetivo era bem apropriado àquele diálogo. Não tinha muita certeza de como havia sido envolvido numa discussão sobre Deus, mas tudo o que estava acontecendo era bem mais cativante do que os discursos de meu professor de Religião Comparada. Era o "senhor Monotonia", como o chamávamos por conta do estilo de suas aulas.

A salada de tortellini do outro lado da mesa sacudiu minha memória. *Foi isso que Mattie pediu, e que era tão gostoso. Ai, ai.* Puxei minha salada mediterrânea para perto e procurei outro garfo.

— Quer um pouco da salada de tortellini? — perguntou meu anfitrião, apontando o próprio prato.

Antes que eu tivesse chance de responder, ele se esticou, pegou meu prato de pão já vazio, colocou metade de sua salada e entregou-me.

— É muito —, protestei, polidamente.

— A comida deste lugar é tão bem servida que dá para dois. Também tem muito para mim.

Ele estava certo a respeito das porções que o restaurante servia, e eu não estava disposto a discutir. Peguei o prato e empurrei minha salada mediterrânea para o lado.

— Obrigado — falei, comendo uma porção. — Essa quantidade de comida é um escândalo.

Ele também saboreou a salada, mas não respondeu. Eu ainda dei algumas garfadas antes de retomar a conversa.

— O que você quer dizer quando afirma que não existe uma trilha que conduza a Deus? Toda religião se propõe a ensinar o caminho até Deus.

— Ah! mas existe um caminho para Deus — ele disse. — O que não há é uma trilha.

Ele conseguira me confundir. E pela feição de meu rosto, já percebera.

— O que quero dizer é o seguinte: uma trilha se refere a uma jornada que você faz por esforço próprio com o objetivo de chegar a um destino. Mas não existe uma trilha assim que conduza a Deus. Não há nada que você possa fazer que construa um caminho para Deus. Essa trilha não existe. Ela...

— Espere um pouquinho. Religião é exatamente isso, ou seja, uma tentativa de alcançar Deus. Por que você diz o contrário?

Ele deu mais duas garfadas antes de responder.

— Quando você era criança, costumava se meter em encrencas?

— É impressão minha ou estamos mudando de assunto?

— Já vamos chegar lá.

Eu não tinha muita certeza se queria voltar a falar de mim, embora, na verdade, a infância fosse um de meus assuntos preferidos.

— Acho que este restaurante não fica aberto até tão tarde. Não daria tempo de contar todas as encrencas em que me meti durante minha vida.

— Foi tão ruim assim? — ele riu. — Vamos lá, faça um compacto com os melhores momentos.

Alcancei minha salada mediterrânea para provar um pouco. Minha mente pulava de uma cena para a outra: a primeira surra que levei pelas travessuras no dia das Bruxas; a vez em que convenci minha irmã Ellen a desistir do plano de encher a sala dos professores de fumaça... *Não vejo por que falar sobre o presente.* Voltei no tempo.

— Quando eu tinha quatro anos de idade, minha mãe decorou a casa com motivos natalinos, inclusive miniaturas de instrumentos musicais. Não sei por que ela as usar como enfeites. De qualquer forma, ela envolvia as miniaturas em crepe vermelho e verde, colando balinhas de hortelã nas laterais.

Ele começou a sorrir, provavelmente por saber de antemão aonde aquela conversa nos levaria.

— Ela colocava tudo na área de serviço, sobre a lavadora e a secadora. Eu ia *na surdina* e arrancava uma balinha. Aí passava pela cozinha, onde minha mãe estava, para fugir. Mas poucos minutos depois eu voltava, dizendo: "Esqueci alguma coisa", e entrava de novo na área de serviço. Na terceira tentativa, minha justificativa já não soava tão convincente.

Comecei a rir sozinho.

— Ela abriu a porta e lá estava eu, abarrotando meus bolsos com tantas balinhas de hortelã quantas eu conseguisse levar. Foi a primeira vez em que apanhei, se não me engano. Na verdade, foi meu pai que me bateu quando voltou para casa. Ele sempre fazia isso, eu já estava acostumado. Não era um sujeito tão maluco assim, acredite. Mas minha mãe era, por isso ele acabava se tornando.

Parei por alguns instantes, perdido nas lembranças de minha infância.

— Certa vez, porém, meu pai ficou mesmo furioso.

— Quando?

— Quando eu tinha uns nove anos. Minha irmã Chelle devia ter uns cinco. Tínhamos parado numa lanchonete para tomar sorvete, e Chelle queria um *milkshake* grande de baunilha. Meu pai tentou convencê-la a tomar um *milkshake* pequeno, mas ela bateu pé e pediu o grande. Daí fizemos nossos pedidos para viagem, voltamos para o carro e seguimos para casa. Chelle começou a tomar seu *milkshake*, mas estava tão consistente que ela não conseguia usar o canudinho. Então tirou a tampa de plástico e inclinou o copo na direção da boca. Só que o sorvete quase não se mexia, por isso ela continuou inclinando mais e mais, e mesmo assim não conseguia que o *milkshake* se mexesse. Até que interferi: "Vamos lá, Chelle!", disse. Inclinei-me na direção dela e dei um tapinha no fundo do copo. Assim que fiz isso, o sorvete todo se soltou, derramando-se pelo rosto de Chelle. Quando ela abriu os olhos, só se viam aqueles dois círculos castanhos despontando no meio de um monte de sorvete branco.

Ele começou a rir junto comigo. Prossegui.

— Ela parecia um fantasma. Eu comecei a gargalhar. Ela, a chorar. E meu pai, a gritar comigo. Ele não costumava fazer aquilo, mas fez naquele momento. Meteu o pé no freio, saiu do carro, limpou o rosto de Chelle da melhor maneira que pôde e, em seguida, me deitou de bruços em seu colo e me deu a maior surra que levei na vida. Ele não estava nada contente.

Limpei meus olhos com o guardanapo. Há anos não pensava sobre aquele episódio, assim como fazia muito tempo desde a última vez que gargalhara tanto.

— Acho que foi a última vez na vida que vi Chelle tomar um *milkshake* de baunilha. Depois daquilo, só pedia sabor chocolate.

Ambos tomamos um pouco de água, nos olhamos e rimos mais um pouco antes de voltar às nossas saladas. Por fim, ele conduziu a conversa de volta ao tema original e tão *sério*.

— Quer dizer que seu pai batia em você?

— Sim. Minha mãe só gritava conosco. Na verdade, meu pai não nos batia tanto. Talvez eu não tenha apanhado mais do que meia dúzia de vezes na infância e na adolescência.

— Por quê?

— Não sei — disse, enquanto pensava a respeito por alguns momentos. — Não sei. Não era o jeito dele de lidar com as coisas. Em geral, procurava se certificar de que compreendêssemos o que havia de errado em alguma coisa que fazíamos. Em seguida, ele sempre nos levava a pedir desculpas uns aos outros, especialmente à minha mãe.

Peguei um pouco mais da salada de tortellini. Ele tomou um pouco de vinho e tomou a palavra.

— A impressão que dá é a de que seu pai tinha muita coisa em comum com Deus.

Aquela frase me pegou de surpresa. A garfada que estava levando do prato à boca ficou no meio do caminho.

— Como assim?

— A preocupação de ambos era a de restaurar relacionamentos.

— O que quer dizer que... — eu disse, tentando entender o que uma coisa tinha a ver com outra.

— Seu pai os fazia admitir o sofrimento que causavam uns aos outros e se desculpar. Estava interessado em restaurar os relacionamentos.

Acho que ele tem razão. Nunca havia pensado no assunto desta maneira.

— Deus também é assim — ele continuou. — Não está interessado em pessoas dispostas a exibir boas obras para impressioná-lo, até porque elas não conseguiriam. Deus as criou para ter um relacionamento com ele e desfrutar de seu amor. Mas a humanidade o rejeitou, rompendo o relacionamento. E o plano de Deus é colocar as coisas novamente no devido lugar.

Ele fez uma pausa, comeu mais um pouco e, em seguida, gesticulou com o garfo apontado na minha direção.

— Vou perguntar uma coisa a você: quando Sara tiver sete anos e fizer alguma coisa errada, quantos pratos ela terá de lavar antes de poder voltar a sentar no seu colo e ganhar um abraço?

— Nenhum.

— Quantas notas "A" terá de tirar na escola?

— Isso é ridículo.

— Por quê?

— Ela não teria de fazer nada disso. É minha filha.

— Exatamente.

Baixei o olhar e provei mais um pouco de minha salada, enquanto assimilava aquilo tudo. Por fim, voltei a encará-lo.

— Você está querendo me dizer que não podemos fazer nada para conquistar a aceitação de Deus.

Ele sorriu e pegou a garrafa de vinho.

— Mais um pouco?

— Claro.

Ele colocou vinho até a metade da taça. Minha mente ainda estava acelerada por causa de sua última declaração, ou melhor, de minha conclusão. Ele prosseguiu:

— Sobre os muçulmanos que tentam conquistar por si o caminho que leva ao paraíso, quantas orações por dia eles precisam fazer para se tornarem suficientemente bons?

— Não sei dizer.

— Nem eles. Aí está o problema. Eles jamais terão certeza de que fizeram o suficiente: se oraram o suficiente, se jejuaram o suficiente, se deram esmolas suficientes, se peregrinaram o suficiente. Nunca terão como saber.

Pergunte e verá que eles admitem isso. Os hindus não têm como saber quantas centenas de vidas precisarão viver para resolver a questão do carma satisfatoriamente. Os budistas nunca saberão quanto esforço é necessário para alcançar o nirvana.

— Mas o cristianismo não é diferente — retruquei. — Ninguém jamais saberá se foi bom o suficiente para ter acesso ao céu.

— Ah! mas as pessoas podem, sim, ter essa certeza. E a resposta é simples: ninguém consegue ser tão bom. Ninguém é tão bom que possa ter certeza de que vai para o céu. Por mais que tentem, as pessoas nunca conseguirão ser tão boas a esse ponto.

— Certo, mas e quanto a todas aquelas pessoas que acreditam que ir à igreja, dar ofertas ou ter um bom coração garantirá seu acesso ao céu? A senhora Willard, minha professora de escola dominical, certamente pensava que isso tudo funcionasse.

— Ela estava enganada. Não funciona.

Aquilo estava derrubando meu conceito de cristianismo.

— Você está dizendo que fazer coisas boas, como cumprir os Dez Mandamentos, não leva ninguém para o céu?

— É isso aí.

— Então, para que fazer tudo aquilo?

— Obedecer a Deus é uma atitude muito proveitosa. Só que não dá acesso ao céu.

Por alguns segundos, eu não sabia o que dizer. *Como esse sujeito pode dizer uma coisa tão diferente do que eu ouvia na igreja quando ainda era jovem?* Talvez ele tenha percebido a sinuca em que eu estava, pois reassumiu o controle da conversa.

— Você é fã da série *Jornada nas estrelas*.

Não sabia de onde ele tinha tirado aquela informação, mas já havia desistido de perguntar.

— Eu gostava da *Nova geração*. Nunca gostei muito das outras seqüências.

— Há um episódio em que os personagens conversam sobre uma fenda, uma brecha na estrutura *espaço-tempo*. É um problema dos grandes. A galáxia será destruída se não consertarem aquela fissura.

— Algo me diz que não é bem sobre *Jornada nas estrelas* que vamos conversar.

— Talvez não — ele disse —, mas é uma bela maneira de ilustrar. Há uma estrutura moral no universo. A rebelião da humanidade contra Deus é como uma grande brecha nessa estrutura. É a ruína de tudo o que Deus planejou para o funcionamento do universo. Os pecados de cada pessoa abrem mais a fenda dessa estrutura moral.

Era difícil negar que a humanidade está uma confusão só. O noticiário matinal é prova disto.

— Mas quem pode dizer que a humanidade não esteja evoluindo espiritualmente? Como Dave e Paula costumam dizer, talvez estejamos todos caminhando na direção de uma grande harmonia universal — comentei, ainda que eu mesmo não estivesse muito convencido do que dizia, mas achando que, pelo menos naquele momento, valia a pena pensar a respeito.

— A separação entre Deus e a humanidade é muito mais profunda do que as pessoas imaginam. Dê só uma olhada à sua volta. O egoísmo, a amargura, o ódio, a discriminação, a exploração, o abuso, as guerras... todas essas coisas são resultado da rebelião da humanidade contra Deus. Você acha que Deus criou as pessoas para agir dessa maneira?

— Mas algumas dessas coisas estão melhorando — argumentei, com otimismo.

— Acha mesmo? — perguntou, com os olhos castanhos ainda mais intensos. — Quantas pessoas foram assassinadas por seus próprios governos no século passado?

— Ah! não sei — respondi. — Uns cem milhões, mais ou menos.

— E quantas foram mortas em guerras?

— Provavelmente a mesma quantidade.

— Em qual século houve mais casos de pessoas assassinadas por causa de sua fé?

— Vou adivinhar: no século passado?

— Isso mesmo. E em qual século você acredita que houve mais agressões ao meio ambiente, mais exploração dos pobres, maiores níveis de imoralidade?

— Tudo bem, já entendi a que ponto você quer chegar — eu disse, interrompendo aquela litania de mazelas humanas.

— Há uma brecha na estrutura do universo — ele repetiu. — Deus está de um lado desta brecha, e você está do outro lado. E não há nenhuma maneira de você consertar essa fenda. Não há nenhum caminho que o leve para o lado de lá. Tentar ser suficientemente bom é perda de tempo. A humanidade rejeitou a Deus, separou-se dele e nada pode fazer para restabelecer o antigo relacionamento.

— E por que não pode?

— Porque só Deus é poderoso o suficiente para consertar o que se rompeu.

Eu senti que ele ia dizer aquilo.

6
O prato principal

O PROBLEMA DE LUGARES COMO o Milano's é que, quando chega o prato principal, a gente já está tão farto que perdeu a fome. Quer dizer, não *toda* a fome, mas o suficiente para achar que pedir vitela com legumes grelhados foi um exagero. É claro que, quando a vitela chega e se saboreia o primeiro pedaço, aparece espaço para ela como num passe de mágica.

Eu estava meio farto de conversas sobre Deus de uns anos para cá, e minha vontade era a de tomar um purgante e me livrar de tudo. Mas ali estava eu, participando havia quarenta minutos daquele jantar, e ainda havia espaço para mais. Não tenho muita certeza do porquê. Para ser honesto, aquele sujeito tanto me intrigava quanto me confundia. Lá estava ele sentado, num momento comendo seu salmão como se aquele jantar fosse a coisa mais natural do mundo; no outro, falando um monte de coisas sobre Deus que, sem dúvida, eu jamais havia ouvido na escola dominical.

— Você tem algum papel em que eu possa escrever? — perguntou, tirando uma caneta do bolso do paletó.

Puxei minha pasta e procurei dentro dela.

— Não tenho. Só alguns recibos, cartão de visitas.

— Serve.

Virei o lado em branco para cima e entreguei o cartão a ele, que prosseguiu.

— Quem é a melhor pessoa na qual você consegue pensar?

— O que você quer dizer?

— Em termos de moralidade. Quem é a melhor?

— Não sei — disse, pensando por alguns momentos. — Vivo ou morto?

— Tanto faz.

— Talvez a madre Teresa de Calcutá. Ela tinha uma excelente reputação.

— Tudo bem — ele disse, desenhando uma linha curta na parte de cima do cartão e escrevendo "madre Teresa" perto dessa linha. — E a pior pessoa?

— Bem, o Osama bin Laden é um dos vilões de hoje em dia, mas já houve gente pior, como Hitler, Stalin e Pol Pot.

— Escolha um deles.

— Hitler.

Ele marcou uma linha perto da base do cartão e escreveu "Hitler" perto dela. Em seguida, virou o cartão na minha direção e ofereceu-me a caneta, que peguei.

— Bem, madre Teresa está no alto do cartão. Hitler está na base. Em que posição você se colocaria nesta escala?

O ajudante do garçom reapareceu, vindo de trás de meu companheiro de mesa e enchendo seu copo de água. Suspendi um pouco a conversa enquanto o rapaz fazia o mesmo com meu copo. Quando ele nos deixou, voltei à pergunta.

— Como alguém poderia responder a uma pergunta dessas? Se você tentar se colocar perto da madre Teresa de Calcutá, vai parecer um presunçoso. Se quiser se colocar perto de Hitler... — interrompi, deixando que o silêncio falasse por si.

— E aí, em que posição? — ele perguntou, demonstrando pouco interesse pelo meu dilema.

— Aqui — eu disse, pegando a caneta e desenhando uma marca acima do meio, um pouco mais perto do nome de madre Teresa. — Então, o que eu ganho?

— Nada. Mas vou dizer a você como fica o resultado desta comparação aos olhos de Deus.

— Tudo bem — respondi, mas sem muita convicção a respeito de meu desejo real de saber em que lugar ficaria.

— Para falar a verdade, este cartão de visitas não comporta toda a escala. Hitler está neste ponto — ele disse, mostrando a parte mais baixa do desenho. — Você diz que está aqui, e que madre Teresa está aqui. Mas para ter uma idéia de como o padrão de Deus é elevado — continuou, erguendo o cartão —, imagine que estejamos na base do Pão de Açúcar. O padrão moral de Deus está bem no alto do morro, muito mais acima.

— Você está me dizendo que, para Deus, madre Teresa de Calcutá e Hitler são essencialmente a mesma coisa?

— Não, claro que não. Hitler foi uma pessoa muito má. Madre Teresa fez muitas coisas boas. Não são a mesma coisa. Mas a questão é: por mais bondade que tivesse em seu coração, madre Teresa não conseguiria se aproximar tanto a ponto de construir uma ponte capaz de vencer o abismo que separa o ser humano de Deus. Ela e Hitler eram pecadores, e ambos estavam separados de Deus por causa do pecado.

Pensei sobre aquilo por alguns segundos antes de responder.

— Então isso quer dizer que ninguém é capaz de se aproximar de Deus.

— Não por seus próprios esforços e méritos. Ninguém sequer conseguiria chegar perto. O padrão de Deus é a perfeição. E você não gostaria que fosse de outra forma.

Eu ainda estava pensando sobre as implicações de sua declaração anterior. Para assimilar esta nova levou um tempinho.

— Opa, espere um pouquinho. Como é que é? O que você quer dizer com isso? Por que eu não gostaria que fosse de outra forma?

— Você não gostaria de ver o mundo sob o controle de alguém que não fosse perfeitamente santo e perfeitamente justo.

— E por que não?

Santidade perfeita é a última coisa com que deveria ter de me preocupar.

— Porque isso agrediria o senso de justiça que Deus colocou em todas as pessoas. Você gostaria de viver num universo em que a criminalidade corresse solta? Num mundo em que alguém poderia fazer alguma maldade com Sara e continuar impune? Num lugar onde a maldade reinasse sem que ninguém a combatesse? Deus precisa punir o pecado porque, se não o fizesse, toda a sua

Criação seria sabotada. Como ficaria o mundo se, depois do Holocausto, Deus dissesse a Hitler: "Tudo bem, Adolf, errar é humano. Fique tranqüilo que não vai acontecer nada a você."?

— Mas nem todo mundo é Hitler.

— Não, mas todo mundo é rebelde diante de Deus. Não precisa cometer nenhum ato hediondo. Em relação ao universo, a rebeldia da humanidade está mais para um câncer do que um ataque do coração. Não é uma carnificina que destrói o mundo. É o egoísmo, o rancor, a inveja, a arrogância, enfim, todos os pecados que invadem o coração todos os dias. Deus precisa lidar com esse câncer.

— Mas todo mundo tem esses sentimentos. Somos seres humanos.

— Exato.

Esperei que falasse mais alguma coisa, mas ele voltou a comer seu salmão. Minha mente assimilou aos poucos a importância do que ele dissera.

— Não parece muito correto que Deus veja a todas as pessoas da mesma maneira. Algumas são piores do que as outras.

— E Deus as julgará de maneira justa. É aí que está a questão. Todos já estão sob o julgamento de Deus, pois todos violaram sua lei moral. Como você poderia se apresentar diante de um Deus perfeitamente santo e dizer que foi uma pessoa boa o suficiente?

Tomei meu garfo e peguei mais um pedaço de vitela. Depois o deixei novamente na beira do prato e tomei um pouco de água. De repente, aquela conversa toda estava mexendo comigo.

— Você leu *O senhor das moscas*, de William Golding — ele disse, retomando o diálogo —, sobre náufragos ingleses que criaram sua própria sociedade e acabaram cometendo brutalidades entre si.

— Sim, li.

— Por que passaram a aceitar tanta brutalidade como uma coisa normal?

— Eles estavam isolados da civilização. Suponho que, aos poucos, foram esquecendo o que era correto. Pelo menos, esse conceito de certo e errado ficou meio confuso para eles.

— Ficou mesmo — ele concordou, balançando a cabeça. — Faltava-lhes um parâmetro para orientar seu comportamento. A mesma coisa acontece com a humanidade. As pessoas se isolaram de Deus, por isso perderam a noção de quão odioso é o pecado. Vivem num mundo pecador, e o pecado é quase uma coisa normal. Mas para Deus o pecado ainda é uma abominação. Deus é santo e justo no sentido mais absoluto dos termos. A humanidade não tem como se comparar a ele em nenhum aspecto. É por essa razão que as pessoas tentam menosprezar a santidade de Deus o tempo todo. Como o islamismo faz.

Agucei meus ouvidos com aquela declaração.

— Como o islamismo? Se existe uma coisa que os muçulmanos enfatizam é a justiça de Deus e a punição à maldade.

— Isso é o que eles dizem. Mas pergunte a um muçulmano sobre o que acontecerá no dia do julgamento. Ele dirá que, se você praticou boas ações suficientes, Alá fará vista grossa às suas atitudes ruins e lhe permitirá acesso ao paraíso.

— E daí?

— Daí que Alá precisa negar a justiça perfeita para ser misericordioso. Não há punição para os delitos, desde que você tenha praticado boas ações suficientes para compensá-los. Mas a justiça verdadeira não funciona assim, mesmo aqui na Terra. Se alguém é condenado por fraude, o juiz não diz: "Bem, ele foi um bom professor, então compensou seu crime". Para o islamismo, Alá não é perfeitamente justo, pois, se fosse, as pessoas teriam de pagar o preço por cada pecado, e ninguém poderia entrar no paraíso. É isso que significa justiça perfeita.

Empurrei negligentemente os legumes para a beirada do meu prato.

— Mas eu pensava que Deus era misericordioso. Você está sugerindo que a justiça de Deus o impede de perdoar.

— Deus é misericordioso. Ele quer perdoar as pessoas mais do que qualquer outra coisa no mundo, de modo a restaurá-las para si. O que estou dizendo é que a misericórdia de Deus não entra em conflito com sua justiça perfeita. Se uma pessoa peca, ela precisa pagar o preço de seu pecado. A justiça de Deus exige isso.

Aquilo parecia um nó cego da pior categoria. Peguei um pedaço de pão, mais com a intenção de ganhar algum tempo para pensar naquilo tudo. Ele terminou de comer seu salmão, aparentemente esperando que eu formulasse minha pergunta seguinte.

— Então o que precisa acontecer para que possamos voltar para o convívio com Deus?

— Deus oferece duas opções. Ele pode determinar que as pessoas paguem o preço de seus pecados...

— O que resultaria em...

— Em uma humanidade separada dele para sempre.

— Não é uma boa alternativa. Qual é a outra?

— Deus poderia ele mesmo pagar esse preço.

— Como?

— Ele é Deus. O Criador é maior do que a Criação. Por isso, quando o Criador assume o preço do pecado para si, ao invés daqueles que criou, isto satisfaz a justiça perfeita.

— E por que Deus faria isso?

Ele bebeu um pouco de água.

— Vou perguntar uma coisa a você. Imagine se Sara tivesse dezessete anos e se envolvesse com uma turma suspeita que a levasse a consumir drogas.

— Você está pegando pesado, não acha?

— É apenas uma hipótese. Pois bem, e se acontecesse de, por causa do vício, ela matar alguém e ser condenada à morte? Você assumiria a sentença em seu lugar, se pudesse?

Aquela pergunta era difícil. Nem preciso dizer que jamais pensara em algo assim antes. Mas...

— Tenho certeza de que assumiria.

— Por quê?

— Porque a amo. Ela ainda teria uma vida inteira pela frente, e eu faria de tudo para dar a ela a chance de viver melhor.

Ele se inclinou para a frente em minha direção, empurrou o prato e descansou o braço sobre a mesa.

— Não acha que Deus, no mínimo, o ama tanto quanto você ama Sara?

Recostei em minha cadeira, mas meus olhos não deixavam de encará-lo.

— Talvez sim. Não sei mesmo.

Ele voltou à posição em que estava.

— Ouvi falar de dois garotos da quinta série. Um deles só tirava notas máximas; o outro passava de ano sempre por um triz. Apesar da diferença entre as notas dos dois, eram muito amigos desde o jardim de infância. Quando o ano letivo estava terminando, tiveram de fazer uma prova de Matemática muito difícil. O primeiro garoto achou tudo muito fácil; o segundo, que precisava de um "C" para passar, teve dificuldades. Depois da aula, o primeiro perguntou ao segundo o que tinha achado da prova. Ele disse: "Acho que não consegui passar". Naquele dia, durante o intervalo do recreio, enquanto todas as crianças brincavam do lado de fora, o primeiro garoto voltou escondido para a sala de aula, vasculhou a pilha de provas e encontrou a dele e a do amigo. Ele trocou os nomes nas duas provas e colocou novamente no lugar.

Esperei que dissesse mais alguma coisa, mas ele havia terminado de contar a história.

— É só isso?

— O que mais você esperava ouvir?

— Bem, a história não terminou. Quando a professora voltou e pegou os papéis, deve ter visto o que o garoto fez.

— Não, a história acabou naquela hora mesmo. O que você entendeu dela?

— Que o primeiro garoto queria trocar sua nota com o outro para que o amigo passasse de ano.

— Sim, mas tem alguma coisa a mais — ele disse, passando a mão pelo queixo. — O que teria acontecido se o segundo menino não tivesse tirado uma boa nota?

— Provavelmente teria de repetir o ano.

— E aí...

— Eles não ficariam mais na mesma turma da escola.

Ele fez uma pausa. Em seguida, retomou a conversa num tom de voz mais brando.

— Deus anseia por ter você junto a ele. Foi por isso que o criou. Mas seu pecado o separa de Deus. Afinal de contas, ele é justo. Para se aproximar de Deus, é preciso que você se torne inocente. Assim sendo, para trazer você de volta, Deus tomou o seu pecado sobre si e morreu para pagar o preço em seu lugar. Isto satisfaz a demanda por justiça e, em contrapartida, oferece a você um veredicto de inocência. E Deus faz isso de graça, como um presente.

Eu não tinha certeza absoluta sobre esse tal "presente", algo que parecia bom demais para ser verdade, mas não podia evitar a pergunta lógica.

— E o que a pessoa precisa fazer para ganhar esse presente?

— Apenas recebê-lo. Só isso.

— Não precisa fazer nada para ganhar?

— Não.

— E como se faz para ganhar?

— Apenas confie nele. É sobre isso que todos os relacionamentos são construídos: confiança. Você restabelece o relacionamento com Deus quando confia que ele morreu para pagar por seus pecados. Creia que ele vai perdoar seus pecados e conceder vida eterna. Foi por esse motivo que Deus morreu em seu lugar. Ele o quer de volta para si. E tudo o que você precisa fazer é aceitar o presente.

Eu queria desviar meu olhar, mas fiquei hipnotizado. Não estava convencido de que Deus me amava tanto, e não sabia bem se queria que ele me amasse. E aquela declaração me deixou mais confuso.

— Acho que não entendi. A Bíblia diz que foi Jesus quem morreu na cruz, e não Deus.

— Nick — ele respondeu —, eu sou Deus.

7
A sobremesa

— Dê-me licença um minuto, por favor.

Levantei-me e segui na direção do banheiro masculino. Ao passar pela treliça, dobrei à direita e entrei. Coloquei meus pensamentos em ordem, parei diante da pia e olhei para minha imagem no espelho. *E agora?* Não é todo dia que alguém diz a você que é Deus. Talvez seja, se você trabalha num hospício, sei lá.

Aquele cara é maluco. Ou então, um bom ator. Ou... Descartei a última hipótese. *Mas por que alguém me colocaria para participar de uma* pegadinha *de* TV*? Qual seria o objetivo? Para me converter? Quem faria isso? Tudo bem, dá para lembrar de meia dúzia de pregadores da televisão que poderiam fazer isso, mas aquele sujeito não leva jeito nenhum de televangelista. Não consegui contrapor nada às coisas que ele disse. Não concordo necessariamente com tudo, mas também não vi nada fora do comum. A não ser aquelas últimas frases que ele falou.*

Lavei o rosto, sequei e voltei para a mesa, sem muita certeza do que deveria fazer. Pensei em tomar o caminho da saída e pegar meu carro no estacionamento, mas algo me fez parar. Não conseguia evitar o desejo de saber mais sobre aquele sujeito que se dizia... Voltei à mesa. Nossos pratos haviam sido substituídos pelos de sobremesa.

— O garçom recomenda o bolo de morango com licor.

Ele deu uma olhada no cardápio. Fiquei encarando aquela figura, esperando que voltasse a falar comigo. Finalmente, ele colocou o cardápio sobre a mesa e olhou para mim.

— Prove — falei.

— Provar o quê?

— Que você é Deus.

— O que poderia convencê-lo disto?

Boa pergunta. O que seria preciso para que alguém convencesse outra pessoa de que é Deus?

— Você nem conseguiu transformar vinho em água agora há pouco.

— Foi o que você presumiu.

— O quê? Quer dizer que pode simplesmente ter decidido que não ia fazer?

— E o que aconteceria se eu tivesse transformado?

— Bem, certamente chamaria minha atenção.

— E aí?

Outra boa pergunta. Afinal de contas, ele já tinha conseguido chamar minha atenção. O garçom nos interrompeu, perguntando sobre as sobremesas que havíamos escolhido. Peguei um cardápio na mesa e dei uma olhada, mas não conseguia me concentrar. Meu anfitrião pediu o bolo.

— E para o senhor?

— O *tiramisu.*

Era o pedido mais óbvio. Fiquei assistindo enquanto o garçom recolhia os cardápios de sobremesa e saía. Meu anfitrião retomou a conversa.

— Está difícil para você acreditar que Deus poderia se tornar um ser humano.

— Bem — respondi, com uma risadinha irônica —, você também não acharia difícil?

— Talvez. Depende das expectativas que eu tivesse a respeito de Deus.

— Eu não esperaria que ele parecesse um executivo com jeitão de quem acaba de chegar de um escritório de consultoria.

— Não — ele riu, com discrição —, acho que eu também não esperaria algo assim.

Recostei-me na cadeira e cruzei os braços.

— E, para ser sincero, eu não acredito muito que Deus peça às pessoas que dêem um salto no escuro apenas por fé nele.

— Tem razão. Ele não faz isso. São as religiões que fazem essa proposta.

— E qual é a diferença entre o que elas fazem e o que você está dizendo?

— É uma diferença de 180°. Neste caso, Deus oferece provas antes de esperar a manifestação de fé. Mas as religiões espalhadas pelo mundo não dispõem de evidências das coisas que propõem. Várias formas de hinduísmo chegam a ter cerca de trezentos milhões de deuses. Que prova elas possuem da existência de tantos deuses?

— Até onde sei, nenhuma.

Ele apontou o indicador em minha direção.

— É por isso que você não é hindu. Porque não vê razão para acreditar nisso. Quais são as evidências que os budistas podem oferecer de que a realidade definitiva é um vácuo desconhecido chamado nirvana? Quem pode demonstrar a você que Deus realmente falou a Maomé? Ou a Joseph Smith, dos mórmons? Ou a...

— Mas com Jesus é a mesma coisa. Que provas existem de que Jesus era Deus?

Percebi que meus cotovelos estavam apoiados sobre a mesa.

— Bem, para começar, foi exatamente o que Deus dissera que aconteceria.

— Quando ele disse isso?

Ele bebeu um pouco de água antes de continuar.

— Você leu algumas coisas que os profetas escreveram, certo?

— Nunca prestei muita atenção àquelas coisas que Nostradamus dizia.

— Os verdadeiros profetas — insistiu, franzindo a testa.

Eu havia, de fato, lido alguns textos dos profetas hebreus. Elizabeth, minha namorada na faculdade, tinha me incentivado a freqüentar um grupo bíblico que estudou os profetas num dos alojamentos.

— Eles diziam que o Messias viria — respondi. — Não lembro de nenhuma menção que tivessem feito sobre esse Messias ser Deus.

— Quando participava daqueles estudos, você estava mais concentrado na Elizabeth do que na Bíblia. Sugiro que releia Isaías, Daniel e Miquéias.

— Como você sabia que...

— Eu estava lá.

Olhei atentamente para aquele homem por um bom tempo. Ele manteve seu olhar em mim, mas não consegui interpretar sua expressão. Ignorei seu último comentário.

— Sei o que os profetas escreveram. Disseram que o Messias nasceria de uma virgem, e que ela daria à luz em Belém. Descreveram sua crucificação e assim por diante.

— Aí está uma ótima dica, não acha? Já pensou? Miquéias predisse, com sete séculos de antecedência, a vila onde o Messias nasceria. Davi descreveu em detalhes a morte por crucificação séculos antes que os romanos inventassem essa modalidade de punição. Daniel disse o ano em que o Messias morreria com quinhentos anos de antecedência.

— É mesmo? — comentei, surpreso. — Em que ano?

— Calculando-se pelo calendário judaico, 33 d.C.

Eu não estava certo sobre o que dizer diante daquilo tudo. Esvaziei minha taça. Ele continuou.

— Ao declarar que o Messias seria o próprio Deus, os profetas queriam dizer que ele seria chamado Deus Forte, Pai da Eternidade; que seria Deus de eternidade a eternidade; que deveria ser adorado.

Aquilo soou vagamente divino, mas eu não estava muito a fim de admitir.

— Ainda assim, isso não significa que Jesus tivesse sido Deus. Viu aquela minissérie em dois capítulos que fizeram sobre a vida de Jesus?

— Sei a qual você está se referindo.

— E aquele programa de televisão em que Peter Jennings fala sobre o Jesus histórico?

— Não eram muito precisos.

— Isto é o que você diz, mas como podemos ter certeza? Eles mostravam Jesus como alguém que nunca se declarou o Messias, e muito menos o próprio Deus. Diziam que ele vivia um conflito a respeito de sua identidade, foi envolvido em eventos dos quais não queria participar e assassinado como se fosse uma ameaça política.

Ele respondeu como se concordasse com minha afirmação.

— Perdoei pecados na autoridade de meu nome, curei pessoas, ressuscitei mortos, exerci o meu poder sobre a natureza, disse que já existia antes mesmo de Abraão, declarei ser um com o Pai, falei que era capaz de conceder vida eterna e aceitei adoração. Para você, quem poderia fazer isso tudo?

— Você não é Deus só porque afirma ser.

— Não. Mas significa que eu não era somente um bom mestre religioso. Ou eu estava falando a verdade a meu respeito, ou estava mentindo. Ou então, era um louco. Essas são as únicas opções possíveis. Mestres religiosos não se declaram o próprio Deus.

Ele olhou o salão em volta, mas não pareceu se concentrar especificamente em alguma coisa. Sacudiu a cabeça de maneira quase imperceptível, e depois olhou mais uma vez para mim.

— As pessoas distorcem a verdade porque rejeitam a prova definitiva que eu já dei.

— E qual foi?

— A ressurreição.

Naquele momento, o garçom, que certamente estava ao alcance de nossa voz e poderia ter ouvido as últimas frases, apareceu com as sobremesas. Evitei encará-lo enquanto nos servia, enchia novamente nossos copos com água e ia embora. Fui o primeiro a falar.

— Você está sentado aqui, bem vivo, do outro lado da mesa. Se você diz que já esteve morto, fica complicado para mim provar o contrário.

Ele pegou um pedaço de morango.

— Uma observação interessante. Por que não tratamos dos fatos reais? O que você sabe a meu respeito, em termos histórias?

O uso que fazia do tratamento na primeira pessoa ainda me incomodava, mas eu estava disposto a discutir o assunto, e me lancei a ele.

— Das histórias seculares, sabemos que Jesus foi uma pessoa que existiu de fato.

— Tudo bem.

— Também sabemos que era um mestre que tinha muitos seguidores.

Ele concordou com um gesto de cabeça.

— Sabemos que os romanos o mataram — continuei.

— O que nos leva novamente ao evento em questão. O que aconteceu em seguida?

— Bem, seus discípulos declararam que ele havia ressuscitado dos mortos, mas é claro que era isso que deveriam falar.

— É mesmo? Eles estavam esperando que isso acontecesse?

Pesquisei na memória o arquivo com os dados aprendidos na escola dominical.

— Não que eu lembre — admiti.

— Apesar do fato de eu os alertar várias vezes que isso aconteceria.

— É verdade.

— Eles creram logo de cara quando as mulheres falaram sobre a ressurreição?

— Não.

— A partir de quando passaram a crer?

— Segundo os relatos que deixaram, só mesmo quando viram Jesus em carne e osso.

— Assim, quando aqueles homens escreveram os relatos a respeito de minha vida, descreveram a si mesmos como incapazes de crer *a priori* e *a posteriori*. Só conseguiram crer depois que as evidências estavam ali, diante de suas faces. E mesmo assim, continuaram escondidos, com medo das autoridades. Seria esta a maneira de você se apresentar se tivesse o interesse de recrutar pessoas para seguir a sua causa?

— É possível — respondi.

Improvável, talvez, mas possível.

— E qual seria o propósito? — ele perguntou, preparando-se para pegar mais um pedaço de bolo. — Para que seus seguidores fossem marginalizados, perseguidos e até martirizados?

— Muita gente morreu por crer em coisas falsas.

— Sim, em nome de uma filosofia falsa ou de uma crença religiosa falsa. Mas isso é diferente. Estamos falando de pessoas dispostas a morrer em nome de sua fé num evento histórico. Elas estavam lá. Viram que tudo aquilo aconteceu. Todas confirmaram os acontecimentos, embora isso apenas lhes causasse sofrimento e morte. Ninguém morre por alguma coisa que sabe ser mentira, especialmente quando não representa nenhum benefício pessoal.

Os debates no Segundo Grau me ensinaram uma ou duas coisas sobre discussões. Por exemplo, quando desistir de um argumento perdido. Provei meu *tiramisu* e pensei por alguns momentos.

— Talvez aquela gente pensasse que Jesus havia morrido, mas isso não tivesse acontecido.

— Com que freqüência você acha que os romanos permitiam que pessoas ainda vivas fossem tiradas das cruzes?

— Provavelmente, não muita.

— Então você está deduzindo que os romanos permitiram que uma pessoa descesse da cruz em tão mal estado que pudesse ser dada como morta. E aí, dois dias depois, a minha recuperação teria sido tão milagrosa que os discípulos pensariam que eu era o próprio Deus.

— Certo, é improvável — respondi. — Mas os discípulos tinham algo a ganhar declarando que Jesus havia ressuscitado.

— Continue.

— Desta forma, poderiam conquistar o *status* de dar início a um novo movimento religioso.

Sua resposta me surpreendeu.

— Tem razão. Eles teriam condição de fazer isso.

Ele se inclinou para a frente, pousando o garfo na beira do prato.

— Você está dizendo que os homens que divulgaram a mensagem a meu respeito; que ensinaram as pessoas a amar umas às outras; que orientaram os poderosos que viviam naquela sociedade brutal a tratar bem seus escravos; que falaram aos maridos sobre a importância de amar suas esposas num tempo em que as mulheres eram tratadas como objetos; que disseram às pessoas que deveriam honrar o mesmo governo que as martirizava e obedecer-lhe; que lançaram o maior empreendimento em nome do bem que o mundo já conheceu; você está dizendo que eles fizeram tudo isso baseando-se apenas em algo que sabiam ser falso?

— Nem tudo foi tão bom assim — rebati. — O que dizer das cruzadas? Ou das caças a bruxas? Ou da Inquisição Espanhola? Como explicar as guerras européias entre católicos e protestantes, ou os conflitos no norte da Irlanda? Seu próprio povo está sempre tentando se destruir.

Seu semblante mudou visivelmente. Ele suspirou.

— É verdade — disse, mantendo-se em silêncio por alguns instantes, o olhar fixo na mesa. — Isso tudo me entristece muito.

Aquela mudança me desconcertou, tirando-me da defensiva e, para ser sincero, também da ofensiva. Fiquei ali sentado, olhando para ele.

— Por que o cristianismo se transformou nesse *saco de gatos*? — perguntei, com toda a honestidade.

— Por várias razões — respondeu, entrelaçando os dedos sobre a mesa. — A maioria das pessoas que fizeram essas coisas não me conhecia de verdade. Podia parecer gente muito religiosa diante dos outros, mas não eram minhas. Nunca confiaram em mim.

— Perdoe-me pelo que vou dizer, mas acho essa desculpa muito conveniente.

— Não, não é. Quis mais que tudo estabelecer um relacionamento com elas. Só que elas não quiseram.

— Ainda assim — argumentei —, você não pode afirmar que as pessoas que perpetraram todos aqueles atos não eram cristãs de verdade.

— Não, não posso. E é aí que está o elemento trágico.

— Chega a ser quase o padrão.

Ele soltou as mãos e ergueu-se na cadeira.

— Não é o padrão, mas acontece com freqüência.

— Por quê?

— Porque nunca aprendem a viver como as novas criaturas que deveriam ser.

— Não sei se entendi o que quer dizer.

— Quando as pessoas depositam sua confiança em mim e recebem a vida eterna, ganham mais do que o perdão de seus pecados. Se não fosse assim, o céu seria habitado por um bando de pecadores perdoados que ainda fugiriam da presença de Deus. E não é isso que ele quer.

— E o que Deus faz para resolver isso?

— Ele faz mais do que perdoar as pessoas. Ele as transforma por dentro. O coração, o espírito humano, é renovado. Nas profundezas do ser, não sentem mais a necessidade de fugir da presença de Deus, pois estão ligadas a ele. Não querem mais desobedecer a Deus, pois o desejo delas é fazer o que ele afirma ser o melhor.

— Mas não é o que as pessoas fazem — obstei.

— Geralmente fazem, mas não é sempre que isso acontece. Ao ganhar um novo coração, você entra no jogo da vida, e aí precisa permitir que eu seja o técnico que o orienta. Ensino como viver a partir daquilo que foi renovado em seu interior. Algumas pessoas não permitem que eu faça isso. Preferem fazer à sua maneira, e assim permanecem cínicas, egoístas ou medrosas. Não dá para ser feliz assim.

— Isso parece Nova Era, igual às coisas que Dave e Paula costumam dizer.

— Pode parecer — ele continuou —, mas não é. Você, que conversa tanto com seus dois amigos, diga-me: o que acha que eles estão procurando?

— Uma conexão com o divino, acho. Ou então, acreditam já serem essencialmente divinos. É meio confuso.

Ele balançou a cabeça depois de comer mais um pedaço do bolo.

— Como eles tentam se conectar com Deus?

— Por meio de mais iluminação pessoal — respondi, mais como uma dúvida do que como uma afirmação. — Eles procuram se desvincular de desejos que lhes fujam do controle ... — falei, sem conseguir lembrar meu vocabulário de Nova Era. — Para seguir alguma coisa, não tenho muita certeza do quê.

— Eles estão fazendo um grande esforço na tentativa de alcançar exatamente aquilo que ofereço de graça.

— E o que é?

— Quando alguém me recebe em sua vida, Deus perdoa essa pessoa e faz dela uma nova criatura por dentro — ele disse, fazendo uma pausa rápida. — E passa a viver nela.

Durante a explicação, continuei a comer meu *tiramisu*, mas a última afirmação me fez interromper uma nova garfada.

— Ele o quê?

— Ele passa a viver na pessoa. É o mais perto de Deus que alguém pode chegar. E apesar de muita gente tentar fazer esta conexão com o divino à sua maneira, o único jeito é esse.

Não tinha certeza se aquela informação era das melhores.

— A última coisa de que preciso é Deus tomando conta de tudo o que faço o tempo todo.

— Ele já toma conta de você o tempo todo. O que você precisa é que Deus viva em você o tempo todo.

— Para quê?

— Bem, para começo de conversa, de que outra forma você conseguiria amar sua filha incondicionalmente? E isso também vale para Mattie. Você quer amar Mattie cada vez mais, só que não sabe como fazê-lo. E mesmo que soubesse, não tem capacidade para tal. Só Deus consegue amar assim. E quer fazer isso por seu intermédio.

Ele tinha razão. Por melhores que fossem minhas intenções, as coisas não andavam muito bem entre mim e Mattie. Irritava-me com ela freqüentemente, e ela comigo. Receava que meu lado romântico estivesse hibernando. Peguei o garfo, comi mais um pedaço do *tiramisu* e resolvi falar.

— Nunca tinha ouvido falar disso antes.

— Eu sei. Meus discípulos sabiam disso. Viveram essa experiência e passaram adiante. Mas a mensagem foi sendo distorcida com o tempo. As hierarquias eclesiásticas, as estruturas do poder, tudo isso impediu que a mensagem se mantivesse pura. As pessoas quiseram reduzir Deus a um conjunto de regras. Mas ele não está interessado em regras.

— Então, no que ele está interessado?

— Em atrair as pessoas à sua presença. Ele as criou para que se unissem a ele, como um homem e uma mulher foram criados para viver unidos. Mas as pessoas não se interessam por permitir que Deus viva dentro da vida delas. Sem isso, elas são como um carro sem motor: pode parecer muito bom por fora, mas não funciona. Está faltando a parte mais importante.

Recostei em minha cadeira para assimilar o que ele acabara de dizer.

— Se o cristianismo é isso, por que ninguém diz?

— Porque muita gente não entende. Mas alguns entendem. Afinal, essa verdade nunca esteve escondida. Leia o último terço do Evangelho de João. Está tudo lá. O senhor McIntosh sabia disso.

— Meu professor de Ciências da sétima série! Sempre gostei dele.

— Acredite se quiser, ele também gostava de você.

— Mesmo em todas aquelas vezes nas quais me mandou para a diretoria da escola?

— Você não lhe dava muitas alternativas, dava? — perguntou, sorrindo.

— Não — correspondi com um sorriso —, acho que não.

Comi mais um pedaço de minha sobremesa, e ele também. Ficamos em silêncio por alguns minutos, durante os quais terminei de comer. Fui eu quem finalmente quebrou o silêncio:

— E aí? Aonde vamos ao sair daqui?

— Uma boa pergunta — ele disse. — Aonde você quer ir?

Eu não tinha muita certeza.

8
O cafezinho

— Por que Deus não permite que as pessoas simplesmente o vejam?

O garçom já havia saído, levando consigo nossos pratos de sobremesa. Resisti ao impulso de raspar o meu com o garfo, como costumava fazer em casa. Enquanto esperávamos pelo cafezinho, decidi tirar todas as dúvidas que ainda tinha a respeito de assuntos como Deus e a vida. Aquela era a hora, e aquele parecia o lugar ideal para começar. Jesus usou o guardanapo e o recolocou no colo.

— O que você gostaria que eu fizesse?

— Sei lá. Que aparecesse a todo mundo em pessoa.

Ele achou graça, e vendo a ironia de minha proposta, não pude evitar e o acompanhei no riso.

— É sério — eu disse —, não é todo mundo que recebe um convite para jantar.

— Eu já apareci diante da humanidade. Tornei-me um de vocês. Mais pessoal do que isso não dá.

— Mas isso foi há dois mil anos.

— Não importa. A maioria das pessoas não creu naquela época também. Para crer não é preciso ver.

Coloquei um dos braços por trás do encosto da cadeira.

— No mínimo, Deus poderia dar alguns sinais que provassem sua existência.

— Também fiz isso. E ainda assim não creram. Meu Pai fez isso diante dos judeus no monte Sinai. Um mês e meio depois, eles já o haviam abandonado.

O garçom apareceu com nossos pedidos de café: um *cappuccino* para mim, café comum para meu anfitrião. Ele pôs um pouco de creme, sem açúcar.

— Não é o caso de oferecer mais evidências visuais — ele continuou. — As pessoas já dispõem de todas que precisam. A questão é do coração. Será que elas querem confiar em Deus e receber, com humildade, o dom que ele oferece? Ou preferem insistir que são tão boas que podem seguir vivendo à sua maneira?

De alguma maneira, as declarações que ele fazia referindo-se às "pessoas" pareciam ter uma aplicação bastante pessoal. Eu queria manter a conversa num tom impessoal.

— Mas como você pode dizer que as pessoas dispõem de todas as evidências de que precisam?

— Elas já têm a própria Criação dizendo o tempo todo que Deus existe. A humanidade sabe, mais do que nunca, quão complexa e bem afinada é a Criação. E ainda tem a mim para saber como Deus é. Esta é uma das razões por que vim à Terra: para revelar o Pai. O mundo tem a minha ressurreição para provar que sou Deus. Tem a Bíblia, que é a mensagem de Deus para ele.

Sorvi meu primeiro gole de *cappuccino*, limpando a espuma dos lábios. Ele também tomou seu café.

— Meu professor de Religião dizia que muitos erros foram cometidos ao longo dos anos pelas pessoas que copiavam os textos bíblicos. Por isso, não sabemos com certeza o que a Bíblia original dizia.

Ele balançou a cabeça suavemente e pôs a xícara na mesa.

— Seu professor não costuma pesquisar muito, não é? Como eu disse antes, se pesquisasse, ele descobriria que a verdade é justamente o contrário. As Escrituras foram copiadas com muito zelo. A quantidade de pontos controversos é mínima.

Eu tinha de admitir: também nunca havia feito nenhuma pesquisa. Segui em frente.

— Mas e as contradições?

— Quais, por exemplo?

— Não sei. Como... Não consigo me lembrar de nenhuma especificamente. Mas já ouvi dizer que há contradições na Bíblia.

— Vou ajudar você — disse, rindo. — O relato de um dos Evangelhos diz que curei dois cegos perto de Jericó, enquanto outro diz que curei apenas um.

— Pronto, aí está.

— Tudo bem. Pergunto: um dia desses, quando contou a Les que foi ao cinema com a Mattie, se referia apenas a você e ela?

— Não. A Jessica, amiga da Mattie, foi conosco.

— Por que você omitiu esta informação?

— Porque não era importante para o contexto do que eu estava falando.

— Exato.

Esperei que falasse mais alguma coisa, mas ele parou ali.

— Está querendo dizer que os relatos históricos da Bíblia são verdadeiros?

— Os próprios arqueólogos dizem isso. Você deveria fazer assinatura de alguma revista científica. Dê uma olhada nas reportagens que falam sobre esse assunto.

— Mas não dá para acreditar que Deus tenha mesmo criado o universo em seis dias, ou que a Terra só tenha seis mil anos de idade. É um absurdo.

— Quem está pedindo que creia nisso?

— Todos esses fundamentalistas por aí. Eles fizeram a conta de todas as genealogias desde o Gênesis e disseram que a Terra foi criada há seis mil anos.

Ele tomou outro gole de café.

— O livro de Gênesis apresenta uma sucessão de relatos históricos. Ele diz que Deus criou o universo de maneira ordenada, começando com a própria luz. Criou a Terra, depois a aperfeiçoou, separando os continentes dos oceanos, criando as plantas, a vida animal e a humanidade à sua imagem. Será que há algo nesta seqüência com que os cientistas poderiam discordar?

— Bem, não concordariam com aquela parte sobre "à imagem de Deus".

— Não. Aí é que está o problema, não acha? Eles não reconhecem que foram criados à imagem de Deus porque isto os tornaria tributários de um Criador. Não querem isso de jeito nenhum.

— Mas e quanto a todos os milagres? Como Josué marchando em volta de Jericó durante sete dias para as muralhas caírem. Ou Davi acertanto uma pedra bem no meio da testa de Golias. Ou Deus dividindo as águas do mar Vermelho.

— Está sugerindo que o Criador do universo não pode operar milagres?

— Você nem conseguiu transformar meu vinho em água.

Não consegui conter um sorrisinho debochado. Ele voltou a falar dos milagres.

— Concordo com você que a história de Davi e Golias seria difícil de comprovar fora do texto bíblico. Mas as ruínas de Jericó já foram encontradas. A cidade havia sido construída exatamente como a Bíblia a descreve. E os muros caíram como está registrado na Escritura.

— Você está de brincadeira comigo.

— Não. E quanto ao mar Vermelho, espere mais uma ou duas décadas — disse, dando uma piscadela. — Mas a questão não é essa, certo?

Ele pôs o café na mesa e inclinou-se para a frente.

— Lembra de quando você tinha seis anos de idade e não entendia como as bicicletas conseguiam ficar equilibradas? Até que um dia tentou andar numa delas e descobriu que era possível, não é?

Olhamo-nos durante alguns instantes. Eu tomei a iniciativa de recomeçar a conversa.

— Nem todo mundo tem acesso a uma Bíblia.

— Não — ele admitiu —, nem todo mundo.

— E aí, como Deus faz com essas pessoas?

— O Pai espera que elas reajam de acordo com a revelação que recebem. Pode ser a Criação ou a própria consciência. Esta é a responsabilidade que Deus dá a essas pessoas.

— Mas elas nunca ouviram falar de você.

— Se alguém realmente deseja fazer a vontade de Deus, ele se revela a essa pessoa de alguma maneira.

— Bem — eu falei, com ar de descrença —, se eles não têm uma Bíblia...

— Deus pode usar qualquer meio que deseja. Via de regra, ele envia pessoas. Às vezes, em áreas nas quais o evangelho é restrito, como nos países islâmicos, eu me revelo em sonhos.

— Então, ao que parece, povos de alguns lugares do mundo levam uma vantagem enorme. Podem ouvir falar de você o tempo todo.

— Sim, e, mesmo assim, ignoram a mensagem. Como eu disse, Deus se revela a qualquer um que deposita sua confiança nele. E oferece seu perdão a todos quantos o aceitem.

— E que dizer das pessoas que pensam ser tão boas, como a senhora Willard?

— Elas se apresentarão diante de Deus confiando nos próprios méritos.

Ele ergueu a xícara até os lábios mais uma vez, e em seguida a recolocou na mesa.

— Não é uma situação muito boa. É como um pai que oferece uma herança de um bilhão de reais ao filho, mas este filho diz: "Só vou aceitar quando provar que sou digno dela". A princípio, parece uma atitude muito nobre tentar ser uma pessoa tão boa. Na prática, porém, não passa de obstinação e orgulho. O filho quer a herança, mas desde que seja em seus termos. Não quer aceitá-la como um presente. Mas aquilo que Deus oferece, o faz apenas como um presente. Não dá para conquistar com esforço próprio. Ninguém consegue.

Tomei um longo gole de meu *cappuccino*, que já havia esfriado um pouco. Dessa vez, usei o guardanapo para limpar a espuma dos lábios e o coloquei sobre a mesa, em vez de pôr no colo. Olhei de novo para ele.

— O inferno existe?

— Sim — respondeu, sem alarde. — Para aqueles que optam por se manter separados de Deus ainda há um tipo de existência. Só que não é o tipo de existência da qual você gostaria.

Fiquei em silêncio por algum tempo.

— Como é o inferno?

— Tire todos os tipos de fonte de bondade e amor que há na vida e terá uma boa idéia de como é o inferno. Deus é a fonte de todo bem. Para aqueles que escolhem separar-se dele, não há bem algum — disse, fazendo uma breve pausa para retornar em seguida. — Não dá sequer para imaginar como o inferno é ruim.

— E por que Deus manda pessoas para lá?

— O Pai oferece perdão a qualquer pessoa que queira recebê-lo. Só que há quem opte por manter-se separado de Deus, e ele respeita esta escolha.

— Mas então por que ele não cria todo mundo para viver no céu? Não haveria ninguém infeliz lá.

— O amor não obriga ninguém a manter um relacionamento — ele respondeu, num tom de voz ainda mais suave. — Se, de alguma forma, você tivesse forçado a Mattie a se casar com você, não teria sido um ato de amor. Deus criou as pessoas com liberdade de escolha, e respeita cada uma delas.

Pensei sobre aquilo por alguns instantes.

— Este mundo está de pernas para o ar por causa da rebelião humana. Às vezes, as coisas não fazem muito sentido. Quando você proíbe a Sara de brincar perto demais da rua, ela não vê uma boa razão para isso. Mas um dia ela entenderá. O amor de Deus é maior do que se pode imaginar, e não quer que ninguém viva separado dele. Mas alguns preferem assim. Um dia, tudo isso vai fazer sentido.

— Essa resposta não me satisfez.

— Eu sei — ele disse —, tudo bem.

Tomei mais um gole do *cappuccino* e organizei meus pensamentos.

— Imagino que vai dizer que o fato de Deus permitir o sofrimento tem a mesma explicação.

— E o que acha disso?

— Com base no que você disse, o mundo sofre porque se separou de Deus.

— Isso.

— Então por que ele não conserta as coisas agora mesmo? Por que esperar por um dia no futuro?

Ele bebeu um pouco mais de seu café.

— É difícil responder, pois neste momento você não consegue ver as coisas sob a perspectiva divina. Mas há um propósito para este tempo presente. E um dia tudo voltará ao lugar certo.

— Não acho muito justo que continuemos a sofrer só para que os planos de Deus se cumpram.

— Você está se esquecendo de uma coisa: Deus não permitiu que sofrêssemos sozinhos. Ele sofreu mais do que qualquer outra pessoa.

Olhei para meu *cappuccino* sobre a mesa. Estava apenas morno, e a espuma havia dispersado. Tomei mais dois goles, perdido em meus pensamentos. Até que ele voltou a falar.

— Você sente raiva por causa de seu pai?

— Deus o tirou de mim quando eu tinha apenas dezesseis anos. Acho que é um bom motivo para sentir muita raiva. Ou aquilo foi apenas mais uma parte do plano de Deus?

Meu tom de voz havia subido. Olhei à minha volta para ver se tinha chamado a atenção de alguém. *Ah! Estou pouco ligando.* Voltei a olhar para Jesus, que continuava sereno, olhando para mim.

— Você amava muito seu pai.

Fixei os olhos em minha xícara e comecei a falar.

— Costumávamos fazer muita coisa juntos, como pescar e assistir a jogos. Ele jogou hóquei amador por algum tempo, por isso era o técnico dos times de que eu participava. Depois de minha mãe se divorciar dele, tivemos de nos mudar para o outro lado da cidade, e meu pai deixou de ser meu treinador. Talvez eu conseguisse até jogar na faculdade.

— Mesmo assim, você o via, não é?

Percebi que se tratava de uma afirmação, não uma pergunta. De qualquer forma, respondi.

— Sim. Um ou outro fim de semana. Mas não era a mesma coisa.

— Ele também sentia sua falta.

Aquilo, sem dúvida, era uma afirmação. Finalmente ergui os olhos.

— Eu sei.

— Você não faz idéia de como ele sofreu por perdê-lo. Fez muito mal a ele.

— Bem, de qualquer forma, ele não viveu muito depois disso, não é? — comentei, sem nenhuma preocupação de disfarçar minha raiva dessa vez.

— Não — ele respondeu, com serenidade. — Não viveu muito.

Tomei o que restava de meu *cappuccino*.

— Talvez não acredite — ele disse —, mas também sofri muito por vocês dois.

Coloquei minha xícara na mesa e olhei para aquela figura do outro lado. Já não estava mais com raiva, mas tinha uma sensação de morte em mim.

— Tem razão, não acredito.

Ficamos em silêncio.

— Pois então — resolvi voltar à conversa —, você não respondeu à minha pergunta. O divórcio de meus pais e a morte de meu pai eram parte do plano de Deus?

Ele levou um tempo para responder.

— Você conhece a história do filho pródigo.

— Claro.

Que beleza. Mais uma lição da escola dominical.

— O que foi necessário para que o filho retornasse para os braços do pai, que o amava tanto?

Respondi de má-vontade, num tom de indiferença.

— Que a vida dele se tornasse horrível, comendo com os porcos. E daí?

— Às vezes, as pessoas precisam passar pela dor para que descubram como são dependentes de Deus.

— E é esse o plano de Deus?

— É isso que Deus precisa fazer num mundo perdido. A dor de seu pai o conduziu a mim. E se não fosse essa ferida em seu coração, Nick, você também não estaria sentado aqui, conversando comigo.

Recostei, cruzei os braços e suspirei.

— Ficaria muito feliz se pudesse dizer que tudo isso faz sentido para mim agora — comentei, desviando o olhar para o lado e voltando a fitá-lo. — Gostaria de poder dizer isso.

9
A conta

O RESTAURANTE ESTAVA VAZIO. Olhei à minha volta e vi que as seis pessoas que gargalhavam quando chegamos haviam saído. A mesa já estava arrumada para o almoço do dia seguinte. O casal de jovens tinha ido embora havia bastante tempo. Até duas pessoas de meia-idade que entraram enquanto estávamos no antepasto haviam deixado o salão. *Por quanto tempo será que estamos conversando?*

O lugar assumira a mesma quietude lúgubre de quando acaba uma grande festa que durou a noite inteira. Dava para ouvir o barulho de alguém separando talheres. O garçom se aproximou de nossa mesa.

— Mais um *cappuccino*, senhor? — perguntou-me.

— Não, estou satisfeito.

Ele olhou para Jesus.

— E o senhor, deseja mais café?

— Não, obrigado. Pode trazer a conta.

— Sim, senhor.

Meus olhos seguiram o garçom enquanto ele se afastava na direção da entrada do restaurante. Voltando a atenção novamente para a mesa, vi Jesus afrouxando o nó da gravata pela primeira vez.

— Até eu não gosto dessas coisas — disse.

Deus não gosta de gravatas. Tenho de me lembrar disso no futuro. O garçom reapareceu com uma pequena pasta de couro preto, que colocou na mesa, entre nós. Em seguida, voltou-se para Jesus e entregou um pedaço de papel em branco e uma caneta.

— Poderia me dar seu autógrafo, senhor? — perguntou, num tom de voz muito sóbrio. — Só para não perder a viagem.

Jesus sorriu e pegou a caneta e o papel.

— Sim, é claro.

Ele escreveu mais do que apenas seu nome — não sei dizer o quê — e entregou o papel de volta ao garçom. *Fico imaginando quanto isso valeria num desses sites de leilão virtual.*

— Muito obrigado, senhor.

— Obrigado, Eduardo — ele respondeu.

Eles olharam um para o outro enquanto conversavam. Eduardo pegou o papel, parou um instante e foi embora. Pela primeira vez desde que o jantar começara, olhei atentamente para meu anfitrião. Sua aparência ainda era a mesma: cabelo escuro, pele bronzeada, olhos castanhos, músculos bem definidos. No entanto, de alguma forma, ele estava diferente. Parecia mais meigo e, ao mesmo tempo, mais senhor da situação. Ainda não me sentia totalmente à vontade com ele, mas sabia que estávamos mais próximos. Jesus voltou a falar comigo.

— Gosto muito do Eduardo. Ele é um homem humilde de coração.

Quanto mais ele falava, mais perguntas me surgiam. Como era o universo antes do bigue-bangue? Há vida inteligente em outros planetas? O que aconteceu realmente com os dinossauros? Mas com a conta sobre a mesa, uma pergunta sobrepôs-se às demais.

— Você continua dizendo que Deus me oferece a vida eterna como um presente. Então me diga, como é o céu?

Ele sorriu como se eu tivesse perguntado alguma coisa a respeito de sua cidade natal.

— O céu é um lugar muito legal. A sensibilidade das pessoas ficou tão embotada por viver nesse mundo caído que fica difícil acreditar na quantidade de panoramas, sons e aromas do céu. Há cores que você nunca viu e músicas que jamais ouviu. Há muitas atividades, e mesmo assim, uma paz maravilhosa. Lembra de como se sentiu quando viu o Grand Canyon? Lembra da fascinação que sentiu?

— Sim, claro.

— Pois o céu é parecido, só que infinitamente melhor.

— Eu me sinto ridículo em perguntar isso, mas as ruas são mesmo feitas de ouro?

Ele riu, com gosto.

— Descrever o céu não é uma coisa fácil. É como tentar explicar a neve para um nativo de uma tribo no meio da Amazônia. Ele não possui nada que sirva como referência. O que a Bíblia diz a respeito do céu é verdade, mas só que ainda melhor do que você pode imaginar.

— E você diz que não preciso fazer nada para chegar lá?

— Precisa receber o presente, que é a vida eterna — respondeu. — Não pode confiar que terá acesso ao céu só por ser bonzinho. Tem de depositar sua fé em mim.

Jesus mudou de posição e bebeu um longo gole de água. Em seguida, colocou o copo na mesa.

— Mas você está confundindo o céu com a vida eterna.

Minha mente, de fato, ainda estava parcialmente ocupada com pensamentos a respeito do céu e de como ele poderia ser, por isso não ouvi direito o que ele tinha acabado de falar.

— Hein? O quê? Perdoe-me.

— Você está confundindo o céu com a vida eterna.

— Pensei que fossem a mesma coisa.

— Não são.

— Não estou conseguindo acompanhar o raciocínio.

— A vida eterna não é um lugar — ele explicou. — E também não se trata, a priori, de tempo de existência. Eu sou a vida eterna. O Pai é a vida eterna.

— Não sei muito bem se estou entendendo.

— Assim como Deus é a fonte de toda vida física, ele também é a fonte de toda vida espiritual. Pense nisso da seguinte forma: Deus criou seu corpo dependendo de comida, ar e água. O que acontece quando todas essas coisas são tiradas de alguém?

— A pessoa morre.

— A mesma coisa vale para seu espírito. Deus criou seu espírito para se manter ligado a ele. Sem ele, você morre. Deixa de ter a vida. Deus é espírito, e ele é vida. A única maneira de ter vida eterna é tendo Deus.

Eu ainda não tinha certeza de que estava conseguindo juntar todas as peças.

— Então, quando você diz que Deus oferece vida eterna...

— Ele está oferecendo a si mesmo. Deus passa a viver para sempre em você. Quando alguém me tem, tem a própria Vida. Com "V" maiúsculo.

Recostei e pensei um pouco sobre tudo aquilo.

— Então o que é o céu?

— O céu é simplesmente um lugar onde eu estou presente.

— Mas as pessoas não chegam ao céu sem antes morrer.

— É verdade. Mas é possível ter a vida eterna agora.

Minha cara deve ter denunciado a confusão que mais uma vez passava pela minha cabeça.

— A vida eterna não é algo que começa quando se morre — ele prosseguiu. — Ela tem início a partir do momento em que a pessoa me recebe. Quando você coloca sua confiança em mim, não apenas é totalmente perdoado. Eu mesmo me ligo ao seu espírito. Passo a viver em você.

— Você? Que está sentado bem aqui na minha frente?

— O Espírito Santo, se prefere. Ele, o Pai e eu somos um.

— Sabe, nunca entendi muito bem essa história de Trindade. Pai, Filho, Espírito Santo...

Ele sorriu.

— Você e o restante do mundo. Ninguém foi feito para entender isso.

— Quer dizer que não sou capaz de compreender o que é a Trindade?

— Isso mesmo.

Não sabia direito como reagir.

— Deus não seria exatamente Deus — ele disse — se as pessoas pudessem compreender tudo sobre sua natureza. A humanidade ainda não conseguiu entender a maior parte da Criação. E o Criador é muito maior do que ela.

Aos poucos, fui interiorizando a importância das coisas que ele tinha dito. Não tinha compreendido tudo, mas consegui assimilar a essência. Só não tinha certeza das implicações.

— Ainda não me sinto à vontade com essa idéia de Deus viver em mim. Gosto da parte sobre o perdão. Mas essa outra...

— É a melhor parte. Você precisa de alguém que o ame, o aceite e queira estar ao seu lado, mesmo quando se sentir triste. Alguém que sempre estará com você. Todos precisam disso. Foi assim que Deus o criou.

— Sara quer estar sempre perto de mim — brinquei.

— Espere até que ela chegue aos quinze anos.

Acho que ainda falta muito tempo.

— E tem mais — ele prosseguiu. — Para dizer a verdade, você precisa de alguém que recupere um pouco de sua vontade de viver. Lembra do garoto que costumava andar de minimotocicleta na beira dos barrancos?

Senti uma centelha de energia quando o ouvi mencionar aquelas minhas aventuras infantis.

— Por várias vezes eu quase não voltei para casa.

— Sei disso — ele comentou, com um sorriso no rosto. — Você era meio temerário.

Ele se inclinou para a frente e colocou os braços sobre a mesa.

— Sua vida é um tédio, Nick. Acontece que você foi criado para algo bem maior. Fica preocupado, achando que Deus roubará seu prazer de viver, mas já o perdeu há muito tempo. É como um garoto que não quer visitar um grande parque temático porque teria de parar de brincar com bolinhos de lama na calçada de casa. Não percebe que tem coisa muito melhor à sua espera. Não há nenhuma aventura que se compare à de se unir ao Criador do universo.

Ele se aprumou na cadeira, afastando-se da mesa.

— E sua primeira missão será permitir que Deus o ajude a sair da enrascada em que se meteu no trabalho.

Congelei na hora e fixei meus olhos nos dele. Dois meses antes, eu havia descoberto que a empresa estava forjando os resultados de suas experiências ambientais. Não estava envolvido, mas sabia o suficiente para colocar em risco minha carreira, caso a fraude fosse descoberta. *E ele sabe de tudo.*

— Você quer sair da empresa — ele disse. — Por que ainda não fez isso?

— Eu não posso pedir demissão. Não há muitos empregos como o meu nessa área, e Mattie me mataria se tivéssemos de mudar de cidade novamente. Ela acabou de voltar a trabalhar com projetos gráficos, como fazia quando vivíamos em Chicago.

— Sabe que Mattie e Sara não gostam de vê-lo trabalhar na Pruitt. Você não apenas está arriscando sua carreira, como também está se consumindo com isso. Não está lá por causa delas.

Olhei fixamente para ele, sentado do outro lado da mesa. Tinha acabado de dizer como aquilo tudo estava me consumindo. *Ele tem razão. Mas...*

— Não dá para fazer isso. Não agora.

— Você precisa de alguém que lhe dê a força necessária para tomar essa decisão. Porque tenho certeza de que tudo dará certo, mesmo que não pareça.

— Nisso você tem razão. Mattie ficaria furiosa. Aí eu ficaria com raiva dela por reagir dessa maneira. E então...

E então a coisa descambaria de vez. E isso duraria meses. O cenário todo ia ficando cada vez mais complicado.

— E se alguém que vivesse em seu interior pudesse amar Mattie mesmo quando ela está brava com você?

Isso é absolutamente impossível.

— Não para Deus.

— Hein?

— O impossível. Posso amá-la por seu intermédio, mesmo quando for difícil para você. E isso também vale para a vida cotidiana. Ela precisa desse amor constante.

Olhei para baixo, tentando evitar encará-lo. Falar sobre a confusão que estava acontecendo em minha vida era ruim demais. Com certeza, não estava acostumado a conversar sobre esse tipo de coisa com ninguém, mesmo que fosse com Jesus.

— Não acho que Deus esteja dando cambalhotas de felicidade com a vida que levo.

Ele sorriu, recostou na cadeira e entrelaçou as mãos atrás da cabeça.

— Quer saber quem era uma das pessoas com as quais eu mais gostava de conversar quando estive na Terra?

Balancei a cabeça negativamente.

— Com Nicodemos. Gostava dele. Costumava me procurar para fazer perguntas. Minhas respostas sempre o confundiam. Mas eu gostava de ver como ele se interessava pelas coisas sobre as quais conversávamos. Era um homem de bom coração, mas fazia parte do conselho de legisladores, que eram desonestos com as pessoas.

— Parece o tipo de sujeito com o qual me identifico — murmurei.

— Você e ele têm mais em comum do que o nome. No bom sentido, de forma geral.

Ele fez outra pausa, olhou para a pequena pasta de couro com a conta e bebeu um gole de água. Resolvi pegar a conta.

— Deixe comigo — eu disse. — Devo isso a você.

Minha mão chegou a alcançar a pasta, mas antes que pudesse puxá-la, meu anfitrião segurou-me pelo pulso. Olhei para ele.

— Nick, é um presente.

Soltei a pasta de couro e olhei para sua mão. A camisa e a manga do paletó haviam subido um pouco, revelando uma grande cicatriz no pulso, como se tivesse sido traspassado. Fiquei sem ação por alguns momentos.

— Eu achava que eram suas mãos que tinham sido pregadas.

Ele seguiu a direção de meu olhar até sua cicatriz.

— Muita gente pensa assim. Os cravos foram fixados através do pulso para suportar o peso de meu corpo. A carne da mão teria rasgado se tivesse de sustentar o corpo na cruz.

Deixei a conta com ele, que tirou duas notas do bolso da frente, colocou-as dentro da pastinha de couro e ergueu os olhos na minha direção.

— E aí, está pronto?

10
Em casa

DIRIGIMO-NOS PARA A ENTRADA do restaurante, depois da treliça. *Engraçado, quase voltei daqui quando cheguei, e agora nem queria ir embora.* Fiquei um ou dois passos atrás, perdido em meus pensamentos.

Será que acabei mesmo de jantar com... Ele jantou comigo? Será que faz isso o tempo todo? Conto ou não à Mattie o que aconteceu? Quando acordar amanhã... O que devo fazer agora?

Dei uma olhada e vi Jesus conversando rapidamente com Carlo, que estava limpando o saguão. Eles se abraçaram, e em seguida Carlo abriu a porta. Paramos sob a marquise.

— Você e Carlo parecem velhos amigos.

— E somos.

— Há quanto tempo costuma vir ao Milano's.

— Foi a primeira vez.

Ele caminhou na direção de meu carro. Andamos em silêncio pelo estacionamento. Devia ter adivinhado que ele já sabia qual era o meu carro, mas ainda não estava acostumado a conversar com alguém que sabe todas as coisas. Paramos ao lado de meu Ford Explorer.

— Qual é o seu carro? — perguntei, curioso para saber qual era o modelo que Deus preferia.

— Eu não dirijo.

Deixei para lá. Naquele momento, senti-me pouco à vontade. Como a gente faz para se despedir de Jesus? Ele, por sua vez, estava tranqüilo.

— Obrigado pelo jantar — falei, finalmente.

De repente, uma pergunta voltou-me à mente.

— Você não me disse quem enviou o convite.

Ele deu um sorriso, mas não respondeu.

— Imagino que isso tudo foi idéia sua, desde o início.

— Na verdade, a idéia foi sua, Nick. Lembra quando seu pai deixou sua casa e você pediu a Deus que aparecesse para explicar o motivo?

— Para ser sincero, não.

— Bem, eu lembrei. Tinha planejado esse jantar há muito tempo.

Não sabia bem o que dizer. Remexi o bolso, tirei as chaves do carro e o destranquei. Queria dizer a ele como estava feliz por não ter ido embora e como a noite havia se tornado tão melhor do que eu esperava. Acho até que ele já sabia, mas mesmo assim eu queria expressar meu sentimento. No entanto, tudo o que consegui dizer foi:

— Será que vamos nos encontrar para jantar outra vez?

— Você é quem sabe — disse, sorrindo.

— Não sei muito bem o que isso quer dizer.

— Sabe, sim. Passe-me outro de seus cartões de visita.

Puxei minha carteira e entreguei o último cartão de que dispunha. Ele pegou a caneta do bolso do paletó, escreveu alguma coisa na parte de trás do cartão e o enfiou dentro do bolso de minha camisa.

— Isso vai ajudá-lo a me localizar.

Ele pegou a maçaneta da porta do carro e a abriu.

— A Mattie já está dormindo. É melhor você ir para casa.

Eu ainda tinha mil perguntas a fazer, mas ele tinha razão. Subi no carro, virei a chave e baixei o vidro. Ele deve ter percebido minha hesitação, pois tomou a iniciativa de se despedir.

— Estou feliz que tenha aparecido, Nick. Gostei muito de conversar com você.

— Eu também.

— Lembre-se: estou com você. Mattie também está. Só não aprendeu ainda como demonstrar isso. Dê tempo ao tempo e não deixe de amá-la.

— Vou fazer isso.

— Dê uma beijoca na Sara por mim.

— Deixe comigo.

Ofereci a mão direita para ele, que a apertou com firmeza. Não tive como evitar dar mais uma olhada na cicatriz de seu pulso. Relutei, mas puxei de volta minha mão para engatar a marcha-à-ré.

— Até mais — eu disse.

— Até a próxima — ele respondeu.

Voltei um pouco, e em seguida comecei a cruzar o estacionamento. Olhei pelo espelho retrovisor e acenei, mas ele não estava mais lá.

O caminho do Milano's até minha casa leva cerca de vinte minutos, mas naquele dia pareceu não passar de dois. Minha mente viajava mil vezes mais rápida do que o carro. Entrei na garagem de casa e parei, desligando rapidamente os faróis para não acordar ninguém. Desliguei o motor, e quando peguei o casaco, lembrei do cartão de visita no qual Jesus havia deixado algo escrito. Tirei-o do bolso da camisa e virei para ler. "Apocalipse 3:20." Era só o que estava escrito. *Apocalipse 3:20. Um versículo da Bíblia? O livro das revelações?* Saí do carro e fechei a porta sem fazer muito barulho.

A casa estava silenciosa. Tranquei tudo. Mattie havia deixado uma lâmpada ligada para mim na sala. Gretel, nossa cadela, ergueu a cabeça quando passei pela cozinha. Parei e fiz um cafuné.

— Perdoe-me, hoje você ficou sem seu passeio, mocinha — sussurrei.

Ela baixou a cabeça para voltar a dormir. *Espero que Mattie tenha lembrado de dar comida a ela.*

Subi as escadas na ponta dos pés e entrei quietinho no quarto de Sara. Ela parecia estar dormindo. Aproximei-me devagar de seu berço e dei um beijinho de boa-noite. Sua respiração mudou um pouco, mas depois voltou ao ritmo normal. Virei-me e caminhei pelo corredor na direção de meu quarto. *Não tenho certeza do que me espera ali dentro.* Dei a volta na cama e fechei um livro que Mattie dormira lendo.

— Oi — sussurrei —, estou em casa.

Ela despertou suavemente, suspirou um pouco e depois abriu os olhos.

— Oi, meu bem — murmurou.

— Desculpe-me por essa noite, Mattie.

— Eu sei, tudo bem. A gente fala sobre isso de manhã.

— Está certo.

Beijei-a e a cobri.

— Já venho para a cama.

— Está bem — respondeu, de maneira preguiçosa, depois virou para o outro lado e voltou a dormir.

Fui até o *closet*, onde poderia trocar de roupa sem acordá-la. Encontrei um cabide para pendurar as calças. Foi então que decidi procurar outra coisa. Atravessei o quarto, fechei a porta e voltei ao *closet*, onde comecei a puxar várias caixas de livros que não cabiam mais na estante. Esvaziei três delas, mas não dei sorte. *Deve estar aqui em algum lugar.* Pilhas de livros estavam espalhadas pelo chão quando abri a quarta caixa. *Que confusão estou fazendo aqui.* De repente, a descoberta: minha velha Bíblia. Não a abria desde a faculdade. *Fico até surpreso de tê-la guardado esse tempo todo.* Fui até o fim, no livro de Apocalipse, e dei uma olhada no meu cartão de visita: "3:20".

Procurei o capítulo 3. O versículo 20 estava na página seguinte. Era uma declaração de Jesus:

> Escutem! Eu estou à porta e bato. Se alguém ouvir a minha voz e abrir a porta, eu entrarei na sua casa, e nós jantaremos juntos.[1]

[1]Texto extraído da Nova tradução na linguagem de hoje – NTLH, da Sociedade Bíblica do Brasil – SBB.

Caro Leitor

Desejamos que este livro tenha correspondido a suas expectativas.
Para continuar a atendê-lo sempre melhor, compartilhe suas impressões de leitura desta obra escrevendo para:
opiniao-do-leitor@mundocristao.com.br

Cadastre-se para receber nossos informativos no *site*:
www.mundocristao.com.br

Acesse nosso *blog*:
http://editorialmc.blogspot.com

Editora Mundo Cristão
Rua Antonio Carlos Tacconi, 79
04810-020 — São Paulo — SP

Este livro foi composto por Estela Mleetchol,
em ACaslon, e impresso pela Imprensa da Fé
em papel chamois fine dunas 67 g/m², com filmes
fornecidos pela M.J. Serviços de Composição.